• FLUGSTEUERUNG •

• PARADE DER FLUGZEUGE •

Formationsflug

Gänse legen längere Strecken im Formationsflug zurück und bilden dabei einen v-förmigen Keil. Der vorderste Vogel leistet die Hauptarbeit. Die Vögel dahinter sparen rund ein Fünftel der Energie, weil sie auf der Luftwelle des Vorfliegers mitreiten. Die Gans an der Spitze wird alle zehn Minuten abgelöst. Man kann diesen Formationsflug mit dem Gehen in tiefem Schnee vergleichen. Der Erste muss viel Arbeit leisten. Seine Nachfolger haben es viel leichter, weil der Weg schon vorgebahnt ist.

Start

Schwäne sind schwere Vögel. Sie müssen erst über eine längere Strecke das Wasser treten, um abheben zu können. So erreichen sie die Geschwindigkeit, die benötigt wird, damit der Auftrieb den Körper tragen kann. Aus demselben Grund brauchen Flugzeuge, die mit Fracht und Passagieren beladen sind, eine lange Startbahn.

Leichtbauweise

Schon vor Jahrtausenden träumten die Menschen davon, wie die Vögel zu fliegen. Einige beließen es nicht beim Träumen, sondern schnallten sich Flügel aus Federn an die Arme. Doch keiner von ihnen konnte sich in die Luft erheben. Der menschliche Körper ist zu schwer und hat nicht genügend Muskeln für den Flug. Die Flugpioniere entdeckten schließlich, dass der Vogelflügel besonders geformt ist und eine Tragfläche bildet. Wenn die Luft über einen Vogelflügel strömt, ergibt sich ein Druckunterschied zwischen der Oberseite und der Unterseite des Flügels. Dieser Druckunterschied erzeugt den Auftrieb, der dem Gewicht entgegenwirkt und den Vogel oder das Flugzeug in die Luft hebt. Das trifft für alle Fluggeräte zu, die schwerer sind als Luft. Dazu zählen außer den Motorflugzeugen und Hubschraubern auch die Segelflugzeuge und Drachenflieger. Ballons und Luftschiffe dagegen sind leichter als Luft, weil sie Heißluft oder ein Gas wie Helium oder Wasserstoff enthalten.

SCHON GEWUSST?

Tragflügelboote erzeugen einen Auftrieb im Wasser. Bei einer gewissen Geschwindigkeit hebt das Boot den Rumpf aus dem Wasser. Damit entfällt ein Teil der Reibung.

Schwerer als Luft
Die Flügel eines Schwans und dieses riesigen Wasserflugzeugs vom Typ Boeing 314 funktionieren auf dieselbe Weise: Die darüber hinwegstreichende Luft erzeugt den nötigen Auftrieb, um vom Wasser abheben zu können.

Flügel im Profil
Der Schnitt zeigt das Profil eines Vogelflügels.

Bewegungsrichtung des Flugzeugs

Auftrieb

Gekrümmte Oberseite der Tragfläche

Die Luft strömt über die Oberseite schneller, dadurch entsteht dort ein Unterdruck.

Die Luft strömt an der Unterseite langsamer, was zu einem Überdruck führt.

WIE TRAGFLÄCHEN FUNKTIONIEREN

Diese Grafik zeigt, wie durch die typische Form einer Tragfläche ein Auftrieb entsteht. Die Luft strömt an der Oberseite des Flügels schneller als an der Unterseite. Dadurch entsteht ein Druckunterschied, der den Flügel nach oben saugt und anhebt. Dies wird auch in dem nebenstehenden Experiment deutlich.

Das Geheimnis des Auftriebs
Bei diesem Versuch hält man ein Blatt Papier vor den Mund und bläst kräftig darüber. Das Papier hebt sich. Es ist derselbe Effekt wie bei einem Flugzeug.

7

Hoch hinaus

Vögel fliegen höher, weiter und schneller als alle anderen fliegenden Tiere. Viele Vogelarten überqueren auf ihren Zügen Ozeane und Kontinente. Die Vögel sind auch die einzigen Tiere, die den Wind als Auftriebshilfe verwenden. Zwei Brustmuskeln bewegen den Vogelflügel. Bei den meisten Arten machen allein diese Muskeln rund ein Drittel des Gesamtgewichts aus. Mit Muskelkraft bewegen die Vögel auch ihre langen, steifen Flugfedern. Die Federn an der Flügelspitze, die Handschwingen, treiben den Vogel vorwärts, während der restliche Flügel den Auftrieb erzeugt. Beim Schlag nach oben und unten verändern die Flügel ihre Form. Schlagen sie nach unten, sind sie breit und flächig, während sie beim Schlag nach oben stark angezogen werden. Die Flügelform verrät viel über die Lebensweise eines Vogels. Lange Flügel sind typisch für Segel- oder Gleitflieger, während kurze, gedrungene Flügel schnellen Ruderflug ermöglichen.

Breite Flügel
Diese Fleckenweihe fliegt mit ihren breiten Flügeln langsam über offenes Gelände und hält nach kleinen Reptilien, Vögeln und Säugetieren Ausschau.

Zeitlupe
Beim Flug des Rotkehlchens gehen Aufschlag und Abschlag fließend ineinander über. Mit bloßem Auge kann man diese Bewegungen kaum verfolgen, so schnell sind sie. Unten sind die Flügelbewegungen in fünf Phasen dargestellt.

Flugsteuerung
Die langen Schwanzfedern kontrollieren die Fluglage, besonders beim Steuern und Abbremsen.

Federn in Nahaufnahme
Die Vögel haben als einzige Tiere Federn. Die elektronenmikroskopische Aufnahme zeigt die Feinstruktur einer Vogelfeder. Ähnlich wie bei einem Klettverschluss verbinden sich die Federstrahlen über Häkchen miteinander.

Anziehen
Beim Aufschlag werden die Flügel angezogen und nahe am Körper geführt, um den Luftwiderstand zu verringern.

Ausbreiten
Die Flügel sind am höchsten Punkt vollständig gespreizt und werden dann nach unten bewegt. Die Federn überlappen sich, die Füße sind angezogen. Die gebogenen Enden der Handschwingen sorgen wie Propeller für den Vortrieb.

Start
Bei Beginn des Aufschlags bilden die Federn keine einheitliche Fläche. Dadurch verringert sich der Luftwiderstand und der Vogel braucht weniger Energie.

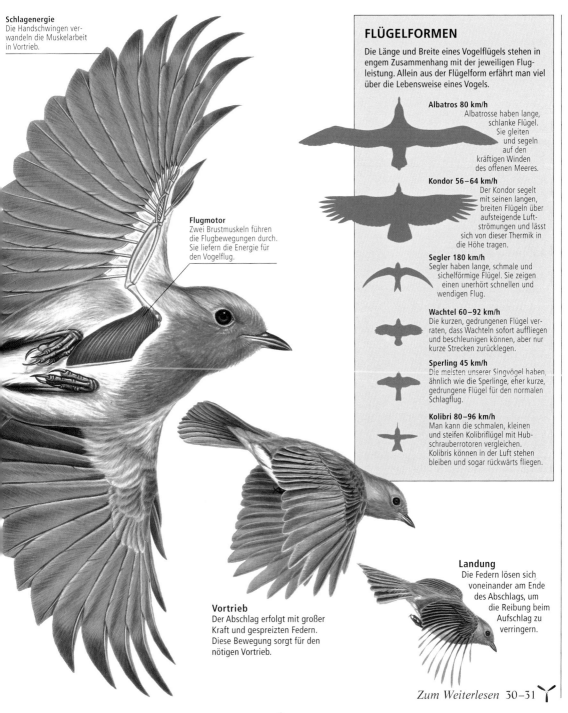

Schlagenergie
Die Handschwingen verwandeln die Muskelarbeit in Vortrieb.

Flugmotor
Zwei Brustmuskeln führen die Flugbewegungen durch. Sie liefern die Energie für den Vogelflug.

Vortrieb
Der Abschlag erfolgt mit großer Kraft und gespreizten Federn. Diese Bewegung sorgt für den nötigen Vortrieb.

Landung
Die Federn lösen sich voneinander am Ende des Abschlags, um die Reibung beim Aufschlag zu verringern.

FLÜGELFORMEN

Die Länge und Breite eines Vogelflügels stehen in engem Zusammenhang mit der jeweiligen Flugleistung. Allein aus der Flügelform erfährt man viel über die Lebensweise eines Vogels.

Albatros 80 km/h
Albatrosse haben lange, schlanke Flügel. Sie gleiten und segeln auf den kräftigen Winden des offenen Meeres.

Kondor 56–64 km/h
Der Kondor segelt mit seinen langen, breiten Flügeln über aufsteigende Luftströmungen und lässt sich von dieser Thermik in die Höhe tragen.

Segler 180 km/h
Segler haben lange, schmale und sichelförmige Flügel. Sie zeigen einen unerhört schnellen und wendigen Flug.

Wachtel 60–92 km/h
Die kurzen, gedrungenen Flügel verraten, dass Wachteln sofort auffliegen und beschleunigen können, aber nur kurze Strecken zurücklegen.

Sperling 45 km/h
Die meisten unserer Singvögel haben, ähnlich wie die Sperlinge, eher kurze, gedrungene Flügel für den normalen Schlagflug.

Kolibri 80–96 km/h
Man kann die schmalen, kleinen und steifen Kolibriflügel mit Hubschrauberrotoren vergleichen. Kolibris können in der Luft stehen bleiben und sogar rückwärts fliegen.

Zum Weiterlesen 30–31 Y

Schwirrflug
Kolibris können in der Luft vor
einer Blüte wie ein Hubschrauber
stehen bleiben und in alle
Richtungen wegfliegen, auch
rückwärts. Sie bewegen ihre
Flügel so schnell, dass wir ihren
Flügelschlag mit bloßem Auge
nicht mehr erkennen. Dabei
verbrauchen sie viel Energie.

Gleiten und Segeln

Das amerikanische Zwerggleithörnchen kann auf
seiner pelzigen Flughaut bis zu 100 m weit durch
die Luft gleiten. Dieser Gleitflug erfolgt rein
passiv. Das Hörnchen kann nicht an Höhe
gewinnen und sich nicht längere Zeit in
der Luft halten. Für das echte, aktive Fliegen muss
aber – bei Tieren ebenso wie bei Flugzeugen – ein
dauernder Luftstrom an den Flügeln vorhanden sein. Die Tiere
haben dafür zwei Verfahren entwickelt: Sie nutzen den Wind
durch Segeln oder greifen auf die eigene Muskelkraft zurück,
indem sie durch Flügelschlagen den benötigten Luftstrom erzeugen. Dieser Schlag- oder Ruderflug ist leicht zu steuern, ver-
langt aber einen hohen Energieaufwand. So ist das Fliegen für
die meisten Vögel wahre Schwerarbeit. Gemessen an seiner
Körpergröße braucht ein Kolibri beispielsweise zehnmal so viel
Energie wie ein Leistungssportler, um scheinbar schwerelos von
Blüte zu Blüte zu schwirren.

Von Baum zu Baum
Das amerikanische Zwerggleithörnchen
springt von einem Baum und spannt
zwischen seinen Gliedmaßen die Flughaut
aus. So gleitet es zum nächsten Halt. Man
kann seine Flughaut mit einem Fallschirm
vergleichen. Als Ruder verwendet das
Hörnchen seinen buschigen Schwanz.

Langstreckensegler
Albatrosse fliegen tausende von Kilometern, ohne sich auf dem Wasser niederzulassen.

DEN WIND NUTZEN

Vögel müssen dafür sorgen, dass dauernd Luft über ihre Flügel strömt. Sie tun dies mit Muskelkraft. Manche nutzen aber dazu auch den Wind.

Kondore und andere Geier nutzen aufsteigende Windströmungen, die Thermik, um sich in große Höhen tragen zu lassen. Eine Thermik entsteht, wenn die Sonne dunklere Gebiete, etwa einen gepflügten Acker, stärker erwärmt und Warmluft aufsteigt.

Stoßen starke Winde auf Hindernisse wie Kliffe oder Gebirge, werden sie nach oben abgelenkt und erzeugen einen Auftrieb. Die nach oben gerichtete Kraft nutzen vor allem Greifvögel, Meeresvögel und Schwalben.

SELTSAM, ABER WAHR

Fliegende Fische leben in tropischen Meeren nahe der Wasseroberfläche. Um Feinden zu entkommen, schnellen sie aus dem Wasser und gleiten auf den Brustflossen durch die Luft.

Über das offene Meer blasen oft heftige Winde. In Wassernähe sind sie wegen der Reibung schwächer als weiter oben. Albatrosse nutzen die unterschiedlichen Windstärken, um fast ohne Anstrengung in der Luft zu gleiten.

Zum Weiterlesen 16–17

Fledermäuse und Insekten

Drei Gruppen von Tieren haben sich die Luft als Lebensraum erobert: Vögel, Fledermäuse und Insekten. Da Insekten nur ein geringes Gewicht durch die Luft bewegen müssen, benötigen sie keine so kräftigen Muskeln wie die Vögel. Sie wenden auch längst nicht so viel Energie beim Flug auf wie die Fledermäuse und können ihren Flug leichter steuern. Stubenfliegen schlagen in der Luft sogar einen Salto, um kopfunter an der Decke zu landen. Die schlanken Libellen erreichen Fluggeschwindigkeiten von 50 km/h. Wie Kolibris können sie rückwärts fliegen und im Flug stehen bleiben. Die einzigen fliegenden Säugetiere sind die Fledermäuse. Allerdings ist ihr Flug nicht sehr elegant, weshalb man sie als Flattertiere bezeichnet. Die Flughunde sind die größten fliegenden Säugetiere. Sie sind bis zu 50 cm lang und haben eine Flügelspannweite von 1,5 m.

SCHON GEWUSST?

Die meisten Insekten bewegen mit den Brustmuskeln nicht die Flügel, sondern verformen ihre Brust. Dadurch werden die Flügel über ein System von Hebeln bewegt. Sie vibrieren dabei so schnell, dass ein surrendes Fluggeräusch entsteht.

Der Unterschied
Diese fliegende Libelle zeigt den Unterschied zum Flug von Vögeln und Fledermäusen: Insekten haben zwei Flügelpaare, Vögel und Fledermäuse nur je eines. Bei diesen höheren Tieren bilden Gliedmaßen die Flügel, bei Insekten sind es eigene Strukturen.

Nahaufnahme
Die elektronenmikroskopische Aufnahme zeigt die Verbindungsstellen zwischen dem Körper und den Flügeln einer Libelle.

Handflügel
Fledermäuse spannen die Flughäute
zwischen den verlängerten Fingern
ihrer Vordergliedmaßen und ihren Beinen aus.

Flügelschläge bei Insekten
Je kleiner das Insekt, umso größer kann die
Zahl der Flügelschläge pro Sekunde sein. Dabei
geht allerdings die Fluggeschwindigkeit zurück.

	Höchst-geschwindigkeit	Flügelschläge pro Sekunde
Libelle	50 km/h	25
Schmetterling	22 km/h	10
Stubenfliege	8 km/h	180–330
Honigbiene	29 km/h	250
Stechmücke	1,5 km/h	300

FLUGSAURIER

Im Jahr 1986 bauten
amerikanische Forscher
ein flugfähiges Modell
eines schon längst aus-
gestorbenen Flugsauriers.
Dieser Quetzalcoatlus northropi lebte vor ungefähr
100 Millionen Jahren und erreichte die erstaunliche
Flügelspannweite von 6 m. Das Modell des Flugsauriers
konnte mit den Flügeln schlagen. Es hatte 13 kleine Elek-
tromotoren sowie Computer als Autopiloten und einen
Funkempfänger zur Steuerung. Dieser moderne Saurier
hielt sich immerhin drei Minuten lang in der Luft.

Der Göttervogel
Garuda war ein riesiger Vogel, der
dem indischen Gott Vishnu als Reittier
diente. Auch die indonesische Fluglinie
heißt „Garuda". Sie hat sich diesen
Götterboten als Logo ausgesucht.

Geflügelte Götter

Seit Jahrtausenden erzählen sich die Menschen Geschichten von wunder-
samen Wesen, die sich leicht wie Vögel in die Luft erheben. Die Fähig-
keit des Fliegens galt als Zeichen für Größe und Macht. Viele Götter und
Helden der griechischen Sage konnten fliegen. Der griechische Erfinder
Dädalus baute Flügel, um mit seinem Sohn Ikarus von Kreta zu fliehen.
Den Thron des persischen Fürsten Kaikaus sollen Adler getragen haben.
Im Lauf der Geschichte wollten es viele Menschen diesen Heldengestal-
ten gleichtun. Sie schnallten sich Flügel an die Arme und sprangen von
Türmen. Einige überlebten den Fall. Der Schotte John Damian
stürzte sich 1507 mit Flügeln aus Hühnerfedern von einer
Schlossmauer, brach sich aber nur ein Bein. Er selbst glaubte
hinterher, er hätte wohl mehr Erfolg gehabt, wenn er die
Federn eines Vogels verwendet hätte, der auch wirklich fliegt.
Der Schneider von Ulm versuchte 1811 mit einem Flugapparat die
Donau zu überqueren. Doch er plumpste wie ein Stein ins Wasser. Bis
der Mensch das Fliegen lernte, sollten noch fast hundert Jahre vergehen.

Der Flug des Alexander
Alexander der Große soll mit
Hilfe von Greifen geflogen
sein. Er spannte diese sagen-
haften Vögel an einen Korb
und verlockte sie mit einem
Fleischstück an der langen
Lanze zum Fliegen.

Ein geflügeltes Pferd
Einer griechischen Sage zufolge fing
Bellerophontes, der Sohn des Königs von
Korinth, das Flügelross Pegasus. Er flog
mit ihm durch die Wolken und tötete im
Kampf das dreiköpfige Monster Chimaira.

Der Sonne zu nahe

Der Grieche Dädalus wurde der Sage nach mit seinem Sohn Ikarus von König Minos auf der Insel Kreta gefangen gehalten. Deshalb baute er Flügel aus Wachs und Vogelfedern, um zu fliehen. Ikarus flog jedoch zu nahe an die Sonne, sodass das Wachs schmolz und er in das Ägäische Meer stürzte.

TURMSPRINGER

Jahrhundertelang versuchten die Menschen, es den Vögeln gleichzutun. Sie bauten Flügel aus Vogelfedern, sprangen von Türmen und bewegten dabei heftig die Arme, während sie wie ein Stein zu Boden fielen. Man wusste noch nicht, dass der Mensch zu schwer ist für den aktiven Schlagflug. Die Muskelmasse reicht dafür ebenso wenig aus wie die Leistungsfähigkeit des Herzens. Bei einem Spatz schlägt das Herz während des Fluges bis zu 800-mal in der Minute.

Luftkämpfe

In vielen Legenden können die Kräfte des Bösen wie des Guten fliegen. Hier verteidigt der Erzengel Michael seine Insel in der Normandie gegen den Teufel in der Gestalt eines Drachens.

Frühlingserwachen

Die ägyptische Göttin Isis hatte Flügel wie ein Falke. Jedes Jahr flog sie über das Land, um den Frühling zu bringen.

Zum Weiterlesen 20–21

15

Bunte Drachen
Die Japaner verwenden heute noch bunte Drachen zur Unterhaltung und bei religiösen Zeremonien.

Drachenfliegen
Der Start erfolgt von Abhängen oder Bergkanten aus. Von einer bestimmten Geschwindigkeit an trägt der Hängegleiter den Piloten. Gesteuert wird durch Verlagerung des Gewichts. Der Pilot fliegt in waagrechter Lage und hält sich mit den Händen am Trapez fest.

Trapez

Drachen und Segelflieger

Der Drachen ist einer der Vorläufer des Flugzeugs. Schon vor 2000 Jahren haben die Chinesen mit Drachen Soldaten in die Luft gehoben, damit sie den Gegner von oben beobachten konnten. Sie nutzten Drachen auch zur Versorgung eingeschlossener Städte. Dem englischen Erfinder George Cayley diente der Drachen als Vorbild für sein erstes Modell eines Gleitflugzeugs. Flugpioniere wie Otto Lilienthal bauten Gleitapparate, die Vogelflügeln nachempfunden waren. Lilienthal war davon überzeugt, dass man erst den Vogelflug verstehen müsse, bevor man selbst fliegen könne. Die heutigen Drachenflieger mit ihren Hängegleitern und Segelflugzeuge nutzen wie viele große Vögel die Thermik aufsteigender Warmluftströme. Drachenflieger starten an Abhängen, Segelflugzeuge werden von Seilwinden oder Motorflugzeugen in die Luft geschleppt.

Drachen der Maori
Bei den Maori in Neuseeland spielten Drachen eine wichtige Rolle bei Ritualen wie der Anrufung der Ahnen. Außerdem halfen sie den Weisen des Stammes bei ihren Entscheidungen.

Segeln in der Thermik

Heutige Segelflugzeuge haben lange, schlanke Flügel, die an die Schwingen von Albatrossen erinnern. Stundenlang können sie in der aufsteigenden Thermik kreisen. Die Piloten gleiten von Aufwind zu Aufwind und legen so hunderte von Kilometern zurück.

Segellatten
Segellatten stecken in Taschen und verstärken die Hinterkante des Segels.

Reißfester Stoff
Der Flügel ist aus leichtem, aber kräftigem Nylon genäht.

Gerüst
Das Gerüst besteht aus einer leichten Aluminiumlegierung.

Gurtzeug

Steigflug
Der Pilot bewegt das Trapez nach vorn, um aufzusteigen.

Sinkflug
Um an Höhe zu verlieren, zieht der Pilot das Trapez zu sich heran.

Kurvenflug
Der Pilot steuert den Drachen durch Gewichtsverlagerung des Körpers.

Ein genialer Pilot

Der deutsche Ingenieur Otto Lilienthal baute als Erster einen Gleitapparat, der einen Menschen tragen konnte, und flog damit regelmäßig über 100 m weit. Im Laufe seines Lebens flog er mit wechselnden Modellen über 2500-mal. 1896 wurde er von einer Böe erfasst und verunglückte tödlich.

KASTENDRACHEN

Der Australier Lawrence Hargrave erfand Ende des 19. Jahrhunderts den Kastendrachen, um Messinstrumente in die Luft zu heben. 1894 verband er vier Drachen miteinander und ließ sich bei einer Windgeschwindigkeit von 34 km/h von ihnen 5 m hoch in die Luft tragen. Hargrave wollte seine Drachen zu einem Flugzeug weiterentwickeln. Die ersten europäischen Flugzeugbauer verwendeten für ihre Tragflächen die Konstruktionsprinzipien Hargraves.

17

Ballonfahren

Im Laufe der Jahrhunderte ersannen und bauten die Menschen ganz unterschiedliche Flugmaschinen, um die Welt von oben betrachten zu können. Die Franzosen Joseph und Etienne Montgolfier fertigten einen Ballon aus Stoff und Papier. Ein Feuer aus Stroh und feuchter Wolle lieferte die nötige Heißluft. Ihr zweiter Ballon beförderte die ersten Passagiere: ein Schaf, eine Ente und einen Hahn. Im Jahr 1783 stieg dann vor staunendem Publikum in Paris erstmals eine Montgolfiere – so hießen nun diese Ballons – mit zwei Männern an Bord in die Luft. 50 Jahre später verwendeten Wissenschaftler Ballons für die Untersuchung der oberen Erdatmosphäre. Die erste Non-Stop-Umrundung der Erde per Ballon gelang Bertrand Piccard und Brian Jones. Am 22. März 1999 landeten sie mit ihrem *Breitling Orbiter* 3 nach knapp 20 Tagen in Ägypten.

Brenner
Der Pilot reißt an einer Leine, um das Ventil des Brenners zu öffnen. Dieser verbrennt Gas und füllt den Ballon mit heißer Luft.

Korb
Die meisten Ballonkörbe bestehen heute noch aus Weidengeflecht, weil dieses Material leicht und widerstandsfähig ist.

Heiße Luft
Das Fahren mit Heißluftballons ist heute sehr beliebt. Der Ballon hat einen Durchmesser von rund 18 m und enthält etwa 2830 m³ Luft, die mit Propangasbrennern auf etwa 100 °C erhitzt wird.

Hülle
Die Hülle besteht aus 24 Teilen polyurethanbeschichtetem, reißfestem Nylon. Die Oberfläche beträgt rund 1000 m². Zum Nähen benötigt man 5 km Faden.

Fallschirmventil

Reißleine

Ballonabenteuer
Im Jahr 1978 überquerten drei Amerikaner mit dem Heliumballon *Double Eagle II* den Atlantik in sechs Tagen. 15 Jahre darauf überquerte ein Heißluftballon Australien in 40 Stunden und 23 Minuten.

Ballons als Hindernisse
Während des Zweiten Weltkrieges verwendete man Fesselballons als Sperren für Flugzeuge. Sie hinderten feindliche Bomber daran, in geringer Höhe über die Städte hinwegzufliegen.

FLIEGEN MIT HEISSLUFT

Ballons fahren mit dem Wind, deshalb können die Ballonfahrer die Flugrichtung nicht bestimmen. Nur die Flughöhe können sie beeinflussen. Soll der Ballon steigen, drehen sie das Brennerventil auf. Durch das Feuer erwärmt sich die Luft in der Hülle, was einen Auftrieb zur Folge hat. Soll der Ballon sinken, lässt der Fahrer die Luft abkühlen oder er zieht die Reißleine. Dadurch kann Warmluft aus einem Luftloch entweichen und wird durch kühlere, schwerere Luft ersetzt. Nach der Landung wird die Warmluft abgelassen.

Zum Weiterlesen 36–37

Erste Erfolge

Es gibt viele Geschichten über mutige Männer und ihre verrückten Flugmaschinen. Die meisten davon flogen nie, doch ihre Erfinder schafften die Basis für die späteren Flugpioniere. Die Entwicklung der Dampfmaschine im 19. Jahrhundert führte zu ernst zu nehmenden Versuchen, mit ihrer Hilfe die Lüfte zu erobern. 1874 baute Félix de Temple einen Eindecker, der einen kurzen Hopser hügelabwärts vollbrachte. Clément Ader und Hiram Maxim bauten Flugapparate, die für kurze Zeit vom Boden abhoben. Diese ließen sich jedoch nicht steuern. Ihre kohlebefeuerten Maschinen waren zu schwer und brachten nicht genug Leistung für den Flug. Im Jahr 1896 startete Samuel Langley ein unbemanntes Flugzeug mit einer Dampfmaschine. Es flog 1200 m weit, dann fiel der Dampfdruck ab. Dampfmaschinen wurden bald darauf durch die leichteren Benzinmotoren ersetzt. Erst sie ermöglichten den Bau echter Flugzeuge.

Mit Dampf in die Luft

Im Jahr 1842 entwarf William Henson den ersten Flugapparat, der einem heutigen Flugzeug ähnlich sah. Angetrieben wurde er von einer Dampfmaschine, die zwei Propeller in Drehung versetzte. Obwohl Henson nur ein Modell baute, wies es schon viele Merkmale heutiger Flugzeuge auf.

Ein missglückter Versuch

Der Amerikaner Samuel Langley konstruierte zuerst dampfbetriebene Flugzeugmodelle. Damit hatte er solchen Erfolg, dass er sich an ein großes Flugzeug mit Benzinmotor wagte, die *Aerodrome*. Der erste Testflug fand 1903 statt: Ein Katapult startete das bemannte Flugzeug vom Dach eines Hausbootes aus. Doch der Startmechanismus versagte und die *Aerodrome* stürzte in den Potomac-River.

Die Fledermaus als Vorbild

Der französische Ingenieur Clément Ader baute 1897 seine fledermausähnliche *Avion III*. Sie war größer als ihre Vorläuferin, die *Eole*, doch nicht so erfolgreich. 1890 gelang der *Eole* nämlich ein kurzer Flug, bei dem sie 20 cm vom Boden abhob. Die *Avion III* verließ den Boden jedoch nie.

Maxims Riesenapparat

Der Amerikaner Hiram Maxim baute 1894 dieses fliegende Ungetüm, einen dreifachen Doppeldecker mit einer Spannweite von 31,5 m. Zwei Dampfmaschinen hoben das Flugzeug mitsamt Besatzung einige Sekunden von seiner Schienenspur in die Luft.

SCHON GEWUSST?

Leonardo da Vinci (1452–1519), der große Künstler der Renaissance, war auch Ingenieur. Er glaubte, der Mensch könne sich mit schlagenden Flügeln in die Luft erheben. Leonardo entwarf viele Fluggeräte, darunter einen Fallschirm und eine Art Hubschrauber.

DIE SUCHE NACH DEM MOTOR

Im Jahr 1852 baute Henri Giffard ein Luftschiff, das vom ersten Flugzeugmotor angetrieben wurde, einer schweren 3-PS-Dampfmaschine. Die Flugpioniere experimentierten auf ihrer Suche nach einem leistungsstärkeren und leichteren Antrieb auch mit Motoren, die mit Druckluft und Kohlegas arbeiteten. Gegen Ende des 19. Jahrhunderts erfand Gottlieb Daimler den Benzinmotor. Damit stand endlich ein leichter, starker Motor für Flugzeuge zur Verfügung. Die Anzani-Maschine im Bild wurde 1909 entwickelt.

Verspannung
Die Steuerung um die Längsachse erfolgte über Drähte,
mit denen der Pilot die
Flügelspitzen verformte.

Der erste Flug
Die *Flyer* von 1903 hatte einen stoffüberzogenen, mit
Drähten verspannten Holzrahmen. Der Pilot lag auf
dem unteren Flügel neben dem Motor. Mit der linken
Hand betätigte er das Höhenruder. Mit der Hüfte
bewegte er Drähte, die mit den Flügelspitzen
und den Seitenrudern verbunden waren.

Propellerantrieb
Fahrradketten verbanden
Motor und Propeller.

Die Brüder Wright

Orville und Wilbur Wright träumten seit ihrer Jugend vom
Fliegen. Schon ihren Schulkameraden verkauften sie Drachen.
Später eröffneten sie eine Fahrradfabrik und steckten ihr Geld
in den Flugzeugbau. Jahrelang studierten sie Flugtheorien und
machten selbst Versuche. Wo lag der Schlüssel zum Geheimnis
des Fliegens? 1902 entwickelten sie einen Gleitapparat, mit
dem sie über 1000-mal flogen. Dazu entwarfen sie einen kleinen 12-PS-Benzinmotor und verbanden ihn über eine Fahr-
radkette mit dem Propeller. So entstand aus ihrem Gleiter ein
Motorflugzeug, die *Flyer*. Damit unternahm Orville Wright im
Dezember 1903 in der Nähe von Kitty Hawk in North Carolina
den ersten Motorflug in der Geschichte. Die *Flyer* blieb bei vier
Versuchen insgesamt 98 Sekunden lang in der Luft. Dann wurde
sie von einer Windböe erfasst und schwer beschädigt.

Ruder
Mit zwei Seitenrudern
steuerte der Pilot die
Richtung des Flugzeugs.

SCHON GEWUSST?

Wilbur (links) und Orville
Wright losten mit einer
Münze aus, wer der erste Pilot
sein sollte. Wilbur gewann, sackte
beim Start jedoch ab und blieb
im Sand stecken. Orville gelang
dann der erste Motorflug.

Seiner Zeit voraus

Orville Wright gehörte einem Team von Ingenieuren an, die 1920 den Dayton-Wright-Eindecker konstruierten. Er hatte ein einziehbares Fahrgestell und extrem widerstandsfähige Flügel.

LUFTSCHRAUBEN

Propeller sind kleine Tragflügel, die sich drehen. Während der Rotation strömt die Luft schneller über die gewölbte Oberseite des Propellers. Im Vergleich zur Unterseite ergibt sich ein Druckunterschied. Er treibt das Flugzeug vorwärts. Propeller können den Anstellwinkel für Start, Reiseflug und Landung verändern. Damit lässt sich der Treibstoffverbrauch senken. Die Veränderung des Anstellwinkels ist der Gangschaltung eines Autos vergleichbar. Die *Flyer* hatte einen Holzpropeller (rechts). Heute bestehen Propeller aus Metall, glasfaserverstärktem Kunststoff oder Kohlefasern.

Wasserkühlung

Benzintank

Höhenruder
Die Höhenruder vor den Flügeln ließen sich kippen.

Benzinmotor
Der 12-PS-Benzinmotor war neben dem Piloten montiert, um dessen Gewicht auszugleichen.

Hebel für das Höhenruder

Landekufen

Urkunde
Die Brüder Wright ließen 1906 ihr Flugzeug patentieren, damit andere ihre Ideen nicht kopierten. Doch Flugpioniere in Europa waren bereits dabei, neue Flugzeugtypen zu entwerfen.

Ein Vergleich

Der erste Flug von Orville Wright war mit Start und Landung 51,5 m lang. Die gesamte Flugstrecke hätte im Passagierraum einer *Boeing 747-400* Platz gehabt.

Zum Weiterlesen 6–7

Berühmte Flüge

Die Geschichte des Fliegens begann 1783 mit dem Heißluftballon der Brüder Montgolfier. Im Jahr 1853 entwarf George
Cayley das erste Flugzeug, das schwerer war als Luft. Und
50 Jahre später gelang den Brüdern Wright der erste Motorflug.
Nur weitere fünf Jahre mussten bis zum ersten Passagierflug
vergehen. Louis Blériot überflog 1909 den Ärmelkanal. In den
darauf folgenden Jahren wurden die Flugzeuge dauernd verbessert – nicht zuletzt, weil sie auch im Krieg eingesetzt wurden. So konnten die Amerikaner John Alcock und Arthur
Brown in einer umgebauten Militärmaschine 1919 den
Atlantik überqueren – acht Jahre vor Charles Lindbergh! 1947 durchflog Chuck Yeager mit seiner
Bell X-1 die Schallgrenze. Die Luftfahrt setzte sich
immer ehrgeizigere Ziele. Im Jahr 1961 flog der
Russe Jurij Gagarin als erster Mensch mit einer
Rakete in den Weltraum. Sechs Jahre darauf
flog die raketengetriebene *X-15A-2* Weltrekord-
geschwindigkeit mit 7254 km/h.

Die ersten Schritte auf dem Mond
Die Amerikaner Neil Armstrong und Edwin „Buzz"
Aldrin landeten am 21. Juli 1969 mit ihrem Mond-
modul *Eagle* auf dem Erdtrabanten. Millionen von
Zuschauern verfolgten die Mondlandung im
Fernsehen.

Muskelkraft
Der amerikanische Radsportler Bryan Allen trieb
1977 im ersten Muskelkraftflugzeug der Welt, der
Gossamer Condor, den Propeller an. Das Flugzeug
flog einen Achterkurs von 1,6 km Länge mit einer
Geschwindigkeit von 16 km/h. Es hatte 29 m Spannweite, wog 32,7 kg und bestand aus kunststoffüber-
zogenen Aluminiumröhren und Sperrholzelementen.

Passagiere an Bord

Im Jahr 1914 nahm eine Fluglinie in Florida die ersten regelmäßigen Flüge von St. Petersburg nach Tampa auf. Das kleine *Benoist*-Wasserflugzeug konnte zwei kleine oder einen großen Passagier transportieren und brauchte 23 Minuten für die 34 km lange Strecke.

FRAUEN IN DER LUFT

Im Jahr 1910 machte die französische Baronesse de Laroche als erste Frau den Pilotenschein. Zwei Jahre später überflog die Amerikanerin Harriet Quimby den Ärmelkanal. Berühmt wurde auch die Amerikanerin Amelia Earhart (oben), die 1932 als erste Frau im Alleinflug den Atlantik überquerte. Weitere Langstreckenpilotinnen waren in den 30er-Jahren die Engländerin Amy Johnson, die 19 616 km nach Australien zurücklegte, die Australierin Lores Bonney, die 29 120 km nach Südafrika flog, und die Neuseeländerin Jean Batten, zu deren Pionierleistungen eine Überquerung des Südatlantiks gehörte. 1953 durchbrach die Amerikanerin Jacqueline Cochran als erste Frau die Schallmauer.

Der erste Jet

Die deutsche *Heinkel He 178* war 1939 das erste Flugzeug, das von einem Strahl-triebwerk angetrieben wurde. Die *He 178* erreichte Geschwindigkeiten von 700 km/h. Das Flugzeug war von großer Bedeutung für die gesamte Luftfahrt, besonders für die Entwicklung von Jagdflugzeugen in den Vereinigten Staaten und Europa.

Ein Meilenstein

Das schlanke *Deperdussin*-Rennflugzeug von 1912 war das modernste Flugzeug seiner Zeit. Der Schalenrumpf war strom-linienförmig und aerodynamisch günstig. Der Franzose Maurice Prévost flog mit diesem Flugzeug als Erster schneller als 200 km/h.

Zum Weiterlesen 28–29

Die Überquerung des Pazifiks
1928 überquerten die Australier Charles Kingsford-Smith und Charles Ulm als Erste den Pazifik in einem Flugzeug. Sie kamen mit der *Fokker F-VII B-3M „Southern Cross"* auf eine Durchschnittsgeschwindigkeit von 143 km/h und legten 11 914 km zurück. Um aufzutanken, landeten sie auf Hawaii und den Fidschi-Inseln.

Die weißen Klippen von Dover
Louis Blériot flog in einem Eindecker, der nur von einem 35-PS-Motor angetrieben wurde, von Frankreich nach England. Vor Dover machte er aber eine Bruchlandung.

Spirit of St. Louis
Lindberghs Flugzeug, der Eindecker *Ryan NYP „Spirit of St. Louis"*, wurde in nur zwei Monaten eigens für den Transatlantikflug gebaut. Für die 5796 km lange Strecke von New York nach Paris brauchte Lindbergh 33 Stunden und 30 Minuten. Das Cockpit lag hinter einem riesigen Treibstofftank, sodass der Pilot nur mit einem Periskop nach vorn sehen konnte.

Die Welt wird kleiner

Als sich die ersten klapprigen Flugzeuge allmählich zu zuverlässigen Maschinen entwickelten, die große Entfernungen zurücklegen konnten, begannen die Piloten, von Langstreckenflügen über Land und Wasser zu träumen. Am 25. Juli 1909 überquerte Louis Blériot in 37 Minuten als Erster den Ärmelkanal. Er kämpfte gegen Windböen und einen Motor, der heiß lief. Bei der übereilten Landung wurden der Propeller und das Fahrwerk zerschlagen. Der Amerikaner Cal Rodgers überlebte fünf Abstürze auf seiner 84-tägigen Reise, die ihn 1911 quer durch die Vereinigten Staaten führte. Ross und Keith Smith stellten einen außergewöhnlichen Rekord auf: Sie flogen von England 18 396 km nach Australien. 1927 überflog Charles Lindbergh den Atlantik im Alleinflug, ein Jahr später überquerten Charles Ulm und Charles Kingsford-Smith den Pazifik. Mit den heutigen Jets sind die Kontinente keine Tagesreise mehr voneinander entfernt.

Rekordflüge
Die 1920er und 1930er Jahre des vergangenen Jahrhunderts waren eine aufregende Zeit für die Luftfahrt. Es gab viele Rekordflüge über den Nord- und Südatlantik. Die bedeutendsten sind rechts angegeben.

Flug um die Welt in neun Tagen
Den letzten Langstreckenrekord holten sich 1986 Dick Rutan und Jeana Yeager, als sie mit ihrem Flugzeug *Voyager* nonstop in neun Tagen um die Welt flogen.

HÖHENREKORD
Nachdem der Amerikaner Wiley Post im Jahr 1934 die Erde umrundet hatte, wollte er auch den Höhenrekord brechen. Er entwarf dazu den ersten Raumanzug, der noch sehr an einen Taucheranzug erinnerte. Damit konnte er auch in sehr großen Höhen noch atmen. 1934 erreichte er 15 240 m. Post trug diesen Anzug auch, als er die ersten Flüge in Jet-Strömen unternahm, jenen Winden hoch oben in der Atmosphäre, die von den heutigen Flugzeugen genutzt werden.

Ruhm und Ehre
Charles Lindbergh begann seine Karriere als Postflieger in den USA. Nach der Überquerung des Atlantiks im Alleinflug stieg er zum berühmtesten Piloten der Welt auf.

Benzintanks

Kompass

Periskop

Rettungsmaterial
Karten, Messer und Angelgerät

Proviant
Fünf Schinkensandwiches

Motor
Ein luftgekühlter 233-PS-Wright-Motor

1919 Alcock & Brown	1927 Costes & Le Brix
1919 Commander A. C. Read	1931 Bert Hinkler
1927 Charles Lindbergh	1932 Amelia Earhart
	1935 Jean Batten

Durch die Schallmauer

Schneller als der Schall
Die Firma Bell formte den Rumpf ihres Raketenversuchsflugzeugs *X-1* wie eine Gewehrkugel, die mit Überschallgeschwindigkeit fliegt. Das Flugzeug hatte einen Raketenmotor und wurde von *Boeing B-29-* und *B-50-* Bombern gestartet

Während des Zweiten Weltkrieges bemerkten viele Piloten, dass ihr Flugzeug bei Geschwindigkeiten um 880 km/h nicht mehr richtig zu steuern war. Die Maschinen wurden so stark geschüttelt, dass manche auseinander brachen. Die Piloten näherten sich nämlich der Schallmauer, von der damals viele annahmen, Flugzeuge würden sie nie überwinden können. Jedenfalls wurde sie nach dem Zweiten Weltkrieg zu einer großen Herausforderung. Einige Piloten kamen beim Versuch, die Schallmauer in den ersten Düsenflugzeugen zu durchbrechen, ums Leben. 1947 gelang dieser Durchbruch dem amerikanischen Piloten Chuck Yeager in seiner besonders dafür entworfenen *Bell X-1*, die von einem Raketenmotor angetrieben wurde. Anschließend durchbrach auch eine amerikanische *F-86 Sabre* die Schallmauer im Sturzflug. Heute stellt die Schallgeschwindigkeit für viele Jagdflugzeuge kein Problem mehr dar.

Durchbruch
In einer Höhe von 13 106 m durchbrach Captain Charles „Chuck" Yeager die Schallgeschwindigkeit mit 1126 km/h. Sein Flugzeug hat er nach seiner Frau *Glamorous Glennis* genannt.

Flächenregel
Mit der Flächen- oder Querschnittsregel entwirft man strömungsgünstige Rumpfformen von Flugzeugen, um die Schallmauer zu durchbrechen. Die roten Striche auf der *F-102* (oben) zeigen die Breite des Mittelrumpfes an, bevor dieser nach der Flächenregel getrimmt wurde.

Sensor für Hochgeschwindigkeit
Dieser Sensor sammelt Informationen über den Luftdruck.

Die Schallgrenze
Beim Flug erzeugt ein Flugzeug Druckwellen, die sich mit Schallgeschwindigkeit nach allen Richtungen ausbreiten.

Unterschall: Unter Mach 1
Das Flugzeug fliegt langsamer als der Schall. Die Schallwellen breiten sich auch nach vorn aus.

Cockpit
In der Druckkabine ist nur für einen Piloten Platz.

Höhenleitwerk
Er gibt dem Flugzeug beim Annähern an die Schall-mauer Stabilität.

Raketenabgase
Der Raketenmotor ver-brennt flüssigen Sauer-stoff und Alkohol. Er entwickelt einen Schub von 2722 kg.

Machzahlmesser
Das Machmeter gibt die Flugge-schwindigkeit in Prozent der Schall-geschwindigkeit an. Diese schwankt mit der Temperatur. So entspricht Mach 1,0 in 12 200 m Höhe, wo es sehr kalt ist, 1060 km/h.

Flügel
Die Flügel sind kurz und dünn, um den Luftwiderstand bei hoher Geschwindig-keit zu verringern.

SCHON GEWUSST?

Donnerschlag und Gewehrschuss sind Geräusche, die beim Durchbrechen der Schallmauer entstehen. Bei ihnen verdichten sich die Schallwellen zu einem sehr hohen Knall.

Rumpf
Der Rumpf der *Bell-X-1* war wie eine Gewehrkugel geformt.

TESTPILOTEN

Testpiloten müssen Geschicklichkeit und Mut haben. Jedes neue Flugzeug – ob Hängegleiter, Jumbojet, Jagdflugzeug oder Spaceshuttle – muss in der Luft auf Sicherheit und Zuverlässigkeit getestet werden. Testpiloten führen die waghalsigsten Flugmanöver durch, um nachzuweisen, dass das Flugzeug unter allen Umständen sicher ist. Einen Teil der Testarbeiten übernehmen Supercomputer, die das Flugver-halten neuer Modelle simulieren können. Doch muss auch heute noch jedes Modell von Testpiloten geflogen werden.

Schall: Mach 1
Das Flugzeug fliegt so schnell wie der Schall. Die Schallwellen ver-dichten sich zu einer Schockwelle.

Überschall: Über Mach 1
Das Flugzeug zieht die Schockwelle wie einen Kegel hinter sich her. Auf der Erde hören wir einen Knall.

Flugmechanik

Die unsichtbare Kraft, die ein Flugzeug abheben lässt, kommt durch die Luftströmungen an den Tragflächen zu Stande. Wegen der Wölbung des Flügels entsteht an der Oberseite ein Unterdruck, der einen Sog ausübt und die Tragfläche nach oben zieht. An der Flügelunterseite staut sich die Luft und es bildet sich ein Überdruck. Dieser hebt die Tragfläche an. Sog und Überdruck ergeben zusammen den Auftrieb, eine der vier Kräfte, die auf ein Flugzeug einwirken. Er ist dem Gewicht entgegengesetzt. Der Motor erzeugt den Vortrieb, dem der Luftwiderstand entgegenwirkt. Mit zunehmender Fluggeschwindigkeit wächst dieser stark an. Ein Flugzeug muss stabil, glatt und sicher in der Luft fliegen. Dazu tragen das Leitwerk und die meist leicht v-förmig angeordneten Tragflügel bei. An den Flügeln und am Leitwerk hinten befinden sich die Ruder. Sie verändern die Luftströmung und der Pilot kann mit ihrer Hilfe Bewegungen um drei Achsen ausführen.

Seitenflosse

D-EVS

Höhen-flosse

Gestänge
Sie verbinden das Seitenruder mit den Pedalen und das Höhenruder mit dem Steuerknüppel.

Linkes Querruder nach unten

Nicken
Bewegt der Pilot die Höhenruder nach oben, steigt die Nase des Flugzeugs über den Horizont und es beginnt mit dem Steigflug. Das Seitenruder und die Querruder sind in neutraler Stellung. Beim Sinkflug klappt der Pilot die Höhenruder nach unten. Diese Auf- und Abbewegung um die Längsachse heißt „Nicken".

Kurvenflug
Bewegt der Pilot die Querruder, rollt das Flugzeug um die Längsachse. Höhen- und Seitenruder befinden sich dabei in neutraler Stellung.

Rechtes Querruder nach oben

D-EVSA

Höhenruder nach oben

Anstellwinkel
Der Anstellwinkel gibt an, in welchem Winkel die Luft auf den Tragflügel trifft. Wird das Flugzeug langsamer, so muss es diesen Winkel erhöhen, um genügend Auftrieb zu erzeugen. Bei einem Winkel von ungefähr 14 Grad geht der Auftrieb verloren, weil die Strömung abreißt.

Kleiner Anstellwinkel
Bei hohen Geschwindigkeiten ist nur ein kleiner Anstellwinkel nötig, um genügend Auftrieb zu haben.

Großer Anstellwinkel
Bei geringer Geschwindigkeit muss der Anstellwinkel vergrößert werden, um denselben Auftrieb zu erhalten.

Abreißwinkel
Bei ungefähr 14 Grad wird die Luftströmung über dem Flügel turbulent und reißt ab. Der Pilot spricht dann von Überziehen.

Rumpf
Im Rumpf des Flugzeugs
finden Cockpit und Motor
Platz. Der Rumpf ist strom-
linienförmig ausgebildet,
um den Luftwiderstand
möglichst gering zu halten.

Steuerknüppel
Bewegt der Pilot das Steuer
vor- und rückwärts, dann
betätigt er das Höhenruder.
Mit seitlichen Bewegungen
betätigt er die Querruder.

Propeller
Die Flügel des Propellers
sind wie Tragflächen
geformt. Sie erzeugen mit
ihrer Drehung den Vortrieb.

Pedale
Mit Pedalen steuert der
Pilot die Seitenruder
und Radbremsen.

Die Ruder
Der Pilot steuert die Querruder, die
Höhenruder und das Seitenruder mit
Hilfe des Steuerknüppels und der Pedale.
Mit diesen drei Rudern kann das Flug-
zeug Bewegungen um seine Längsachse,
Querachse und Hochachse durchführen.

Seitenruder
nach rechts

Rechtskurve
Das linke Querruder schaut nach
unten, das rechte nach oben.
Gleichzeitig ist das Seitenruder nach
rechts verschoben. Dadurch fliegt das
Flugzeug eine Rechtskurve. Die seitliche
Bewegung, die mit dem Seitenruder
allein erreicht wird,
heißt „Gieren".

KLAPPEN

Beim Landen spreizen
die Vögel ihre Federn
und verändern so die
Flügelform. Piloten tun
im Prinzip dasselbe, wenn
sie die Klappen an den
hinteren Enden der Trag-
flächen ausfahren. Diese
erzeugen zusätzlichen
Vortrieb und erlauben es
großen Flugzeugen, mit
geringer Geschwindigkeit
zu landen und zu starten.

Auftrieb

Luft-
wider-
stand

Gewicht

Vortrieb

Vier Kräfte wirken ein
Wenn ein Flugzeug mit konstanter Geschwindigkeit und Höhe geradeaus fliegt, halten sich
Auftrieb und Gewicht die Waage. Der Vortrieb
muss aber größer sein als der Luftwiderstand,
weil das Flugzeug sonst nicht vorwärts kommt.

Zum Weiterlesen 6–7 ⅄

Im Cockpit

Das Steuerzentrum des Flugzeugs ist das Cockpit. Es ist voller Schalter, Instrumente und Computer. Der erste Motorflieger, Orville Wright, hatte nichts von alldem. Er lag auf den unteren Flügeln und schaute zum Horizont, um die Position seines Flugzeugs abschätzen zu können. Die ersten Piloten orientierten sich nach Merkmalen des Erdbodens, die sie auf Karten verzeichnet fanden. Heute brauchen Flugzeugführer den Boden nicht zu sehen. Sie verwenden Navigationssysteme, die mit mehreren Satelliten in Verbindung stehen, während der computergesteuerte Autopilot das Flugzeug viel genauer fliegt, als es ein Mensch jemals tun könnte. Die modernsten Anzeigen verfügen über Bildschirme und Displays, die dem Piloten jegliche Information liefern.

Leistungshebel
Mit acht Hebeln steuert der Pilot die acht Motoren eines riesigen *B-52*-Bombers.

Blick in die Pilotenkanzel
Die englischen *Spitfires* spielten bei den Luftkämpfen des Zweiten Weltkrieges eine große Rolle. Die Instrumente und Schalter in diesem *Spitfire*-Cockpit ähneln denen von modernen kleinen Flugzeugen.

Flugstunden auf Strahlflugzeugen sind sehr teuer. Deswegen verwendet man heute Simulatoren, um die Piloten zu trainieren und sie mit allen möglichen Notfällen vertraut zu machen. Die Simulatoren ähneln dem Cockpit eines Flugzeugs. Es sind alle Instrumente und Schalter vorhanden. Ein Computer projiziert Bilder auf die Frontscheibe wie bei einem riesigen Videospiel.

Boeing 747

Die Besatzung dieses Flugzeugs sitzt in einem großzügigen Cockpit und hat Computer sowie bis zu 971 leicht abzulesende Instrumente vor sich.

Navigationsbildschirm

Der Bildschirm zeigt die Lage des Flugzeugs auf einem Radarbild des Bodens. Außerdem sind die Geschwindigkeit des Flugzeugs, der Treibstoffverbrauch sowie Zeit und Entfernung zur nächsten Position auf der Flugroute angegeben.

Blindfluganzeige

In modernen Flugzeugen sind alle Anzeigen, die man für den Blindflug benötigt, auf diesem einzigen Bildschirm vereinigt. Er ersetzt damit die ganze Instrumententafel früherer Flugzeuge.

Flughäfen

Die ersten Flugplätze bestanden meist nur aus einem großen, grasbewachsenen Feld. Darauf standen ein paar kleine Gebäude, ein Hangar und ein drehbarer Suchscheinwerfer, der den Piloten bei schlechtem Wetter den Weg wies. Heute sind große Verkehrsflughäfen fast kleine Städte, umgeben von Rollbahnen sowie von Start- und Landebahnen. Diese können über 4 km lang sein. Der Flughafen mit dem meisten Flugverkehr der Welt ist der O'Hare Airport in Chicago. Auf ihm landen und starten täglich über 2000 Flugzeuge. Den Strom der an- und abfliegenden Maschinen lenken die Fluglotsen im Tower an den Radarschirmen. Dieses Flugaufkommen bedeutet auch, dass Tag für Tag fast 200 000 Passagiere und riesige Mengen an Gepäck abgefertigt werden müssen. Das Bodenpersonal, das die Maschinen wartet und für die Sicherheit sorgt, hat mehr als genug zu tun.

Ein Labyrinth
Damit der Luftverkehr ungehindert fließt, haben Flughäfen mit hohem Flugaufkommen wie der San Francisco International Airport ein Netz von Rollbahnen, Start- und Landebahnen.

Kontrollturm
Vom Tower aus hat man eine sehr gute Übersicht über den Flughafen und den darüber liegenden Luftraum. Die Fluglotsen steuern die Bewegungen aller Flugzeuge auf dem Boden und im Luftraum in der Nähe des Flughafens.

Warteschleife
Bis zur Landeerlaubnis drehen Flugzeuge Schleifen in vorgeschriebener Höhe.

Äußerer Markierungssender
Er sagt dem Piloten, dass er noch 8 km vom Aufsetzpunkt entfernt ist.

Innerer Markierungssender
Der Pilot ist 1 km vom Aufsetzpunkt entfernt.

BLINDLANDESYSTEM

Bei schlechtem Wetter verwenden die Piloten das Instrumentenlandesystem (ILS), mit dem sie blind landen können. Vom Aufsetzpunkt auf der Landebahn werden zwei flächenförmige Radiowellen abgestrahlt, die Gleitwegebene und die Kursleitebene. Wenn der Pilot der Schnittlinie zwischen den beiden Ebenen folgt, fliegt er genau auf die Landebahn zu, selbst wenn er sie bis kurz vor dem Aufsetzen gar nicht sieht.

Gleitwegebene
Sie führt den Piloten im richtigen Winkel auf die Landebahn zu.

Kursleitebene
Sie führt den Piloten genau in Richtung auf die Landebahn.

Landebahnschwelle
An dieser Stelle sollte der Pilot die Landebahn erkennen können.

Viel zu tun
Das Bodenpersonal tummelt sich um den Airbus, der 375 Passagiere aufnehmen kann. In 90 Minuten muss das Flugzeug entladen, gereinigt, mit Essen und Getränken, Treibstoff und neuer Fracht beladen sein.

Toilettenwagen
Er saugt Abfälle aus den Flugzeugtoiletten ab.

Fahrtreppen
Sie ermöglichen dem Bodenpersonal den Zugang zur Kabine.

Reinigungsmannschaft
Sie sorgt für die Reinigung des Flugzeugs und entfernt Abfall vom vorangegangenen Flug.

Tankwagen
Der Tankwagen pumpt Treibstoff aus unterirdischen Treibstofftanks über Zapfstellen ins Flugzeug.

Förderband
Auf diesem Weg gelangen spät eingelieferte und sperrige Gepäckstücke in den Flugzeugrumpf.

Fluggastbrücke
Sie verbindet das Flugzeug mit dem Terminal.

Förderwagen
Sie transportieren das Gepäck der Passagiere zwischen Flugzeug und Terminal.

Frischwasserwagen
Er füllt die Wassertanks des Flugzeugs auf.

Hebebühnen
Sie heben schwere Lasten an, um sie ins Flugzeug zu rollen.

Schlepper
Er zieht oder schiebt das Flugzeug zur Rollbahn.

Catering-Fahrzeug
Es versorgt das Flugzeug mit vorbereiteten Mahlzeiten und Getränken.

Bodenstromgerät

35

Luftschiffe

Das erste Luftschiff war ein wurstförmiger Ballon, den der Franzose Henri Giffard 1852 baute. Es hatte eine kleine Dampfmaschine und ein Seitenruder. Das Luftschiff legte eine Strecke von 27 km zurück, doch die Motorleistung reichte nicht aus, um gegen den Wind anzukommen. Im Jahr 1900 baute Ferdinand Graf Zeppelin das erste Starrluftschiff. Es war länger als ein Fußballfeld und besaß ein leichtes Innengerüst mit großen Gaszellen. Diese waren mit Wasserstoff, einem hochentzündlichen Gas, gefüllt. Von 1910 bis 1913 beförderte die Zeppelinflotte über 30 000 Passagiere. Nach dem Ersten Weltkrieg ging es sogar über den Atlantik nach Nord- und Südamerika. Im Jahr 1937 explodierte die *Hindenburg* bei der Landung in Lakehurst in Nordamerika. Dieses Unglück bedeutete das vorläufige Ende für die Luftschifffahrt. Seit einigen Jahren konstruieren Ingenieure wieder Luftschiffe, z. B. den *Zeppelin NT* oder den *CargoLifter*. Die modernen Luftschiffe sollen im Tourismus und für Schwertransporte eingesetzt werden.

Ein dramatisches Ende
Bei einem Landemanöver in Lakehurst in New Jersey in den Vereinigten Staaten fing die *Hindenburg* durch elektrische Aufladung Feuer und brannte innerhalb weniger Sekunden lichterloh. Erstaunlicherweise wurden 62 von den 97 Personen an Bord gerettet.

Stilvolles Reisen
Die *Graf Zeppelin*, das erfolgreichste Luftschiff aller Zeiten, besaß fünf Motoren und erreichte eine Geschwindigkeit von 128 km/h.

Höhenruder
Die Höhenruder, die für den Steig- oder Sinkflug verwendet wurden, befanden sich auf der waagerechten Stabilisierungsfläche.

Seitenruder
Die Seitenruder waren an der senkrechten Stabilisierungsfläche angebracht. Die untere Flosse enthielt auch eine Bedienerstation für Notfälle.

Längs- und Querträger
Das Gerüst des Luftschiffes bestand aus 52 runden Querträgern und 28 Längsträgern.

Gaszellen
16 Gaszellen waren mit dem leichten Gas Wasserstoff gefüllt.

Spanndraht

Motorgondel

Toiletten

Schlafzimmer

Salon/ Speisesaal

Funk-raum

Kartenraum

DIE PASSAGIERGONDEL

Die Hauptkabine oder Gondel der *Graf Zeppelin* beherbergte das Cockpit für den Piloten sowie die Räume für die Passagiere. Es gab zehn Kabinen, jede mit zwei Betten und großem Fenster, ferner Badezimmer und einen Salon, der auch als Speisesaal diente. Die Besatzung hatte ihre Quartiere im Inneren des Rumpfes. 1920 kostete die Reise in dem luxuriösen Luftschiff über den Atlantik so viel wie ein kleines Haus.

Badezimmer

Eingang

Küche

Cockpit

Hülle
Zur Gewichts-ersparnis wurde das Leichtmetallgerippe nur mit bemaltem Stoff überzogen.

Macon
Dieses Luftschiff der amerikanischen Marine wurde 1933 für Patrouillen gebaut.

Graf Zeppelin
Sie machte ihren Jungfernflug 1928 und konnte 20 Passagiere aufnehmen.

R-34
Dieses englische Luftschiff überquerte 1919 erstmals den Atlantik.

Norge
Die Polarforscher Nobile und Amundsen fuhren in diesem Luftschiff 1926 zum Nordpol.

Boeing 747-400
Sie nimmt 19-mal so viele Passa-giere auf wie die *Graf Zeppelin.*

Santos-Dumont
Der Brasilianer Alberto Santos-Dumont fuhr 1901 mit diesem Luftschiff um den Eiffelturm.

Passagier-gondel

Wasserflugzeuge

Die 1930er Jahre waren die große Zeit der Wasserflugzeuge. Damals galten die Motoren noch als unzuverlässig und die Menschen glaubten, diese Flugzeuge wären sicherer. Die luxuriösen Flugboote, die bald mit den Passagierschiffen in Konkurrenz traten, ermöglichten schnelle Reisen von Kontinent zu Kontinent. Allerdings war ein solcher Flug nicht gerade billig. Viele Fluglinien boten ihre Dienste auch außerhalb von Europa und Nordamerika an. Die *Boeing 314 Clipper* war das größte Flugzeug in jener Zeit. Es konnte 74 Passagiere und eine achtköpfige Besatzung aufnehmen und hatte 40 Liegeplätze. Nach dem Zweiten Weltkrieg verloren die großen Flugboote ihre Bedeutung, da die Landflugzeuge nun viel besser waren und es überall auf der Welt Flugplätze gab. Wasserflugzeuge erfüllen heute meistens spezielle Funktionen zum Beispiel als Lösch- oder Seenotflugzeuge.

Salon und Speisesaal
Während der Mahlzeiten wurde der Salon zu einem Restaurant, in dem Kellner servierten.

Motoren
600-PS-Doppel-Sternmotoren

Zugang zu den Flü
Der Flugingenieur konnte hier kleinere Reparaturen währen des Fluges durchfüh

Funker

Komfort
Die große *Boeing 314* besaß vier Motoren und konnte mit einer Geschwindigkeit von 280 km/h fliegen. Sie hatte eine Reichweite von 5600 km.

Anker
Wenn es keine Anlegestelle gab, wurde ein Schiffsanker verwendet.

Küche
Die Mahlzeiten wurden an Bord gekocht. Heute werden sie in der Mikrowelle nur aufgewärmt.

Schwimmer
Sie stabilisierten das Flugzeug auf dem Wasser und dienten auch als Treibstofftank

Ein Misserfolg
Das neunflügelige Flugboot *Caproni Noviplano* sollte 100 Passagiere transportieren. Stattdessen fiel es beim ersten Testflug 1921 vom Himmel.

Wasserflugzeuge

Amphibienflugzeug
Es hat ein einziehbares Fahrwerk und kann
auf dem Land und auf dem Wasser starten.

Schwimmflugzeug
Es operiert nur vom Wasser aus und
hat dazu Schwimmer.

Flugboot
Der große Rumpf ist wie der eines
Bootes geformt.

WELTWEITE REISEN

Flugboote flogen als Erste quer über die
Ozeane. Vorreiterin war in der Mitte der 30er-
Jahre die amerikanische Fluglinie Pan Am.
Ihre *Commodore* und die *S-42* flogen nach
Südamerika, während die *Martin M-130* den
Pazifik überquerte. 1939 flog die *Short Empire*
zwischen England und Australien. 1939 wurde
die *Boeing 314 „Yankee Clipper"* auf Trans-
atlantikflügen eingesetzt. Die *Catalina* fand im
Zweiten Weltkrieg Verwendung.

Boeing 314

Southampton
San Francisco
Karachi
Honolulu
Hongkong
Miami
Bolama
Rio de Janeiro
Perth
Auckland
Buenos Aires

Martin M-130

Short Empire

Sikorsky S-42

Consolidated PBY Catalina

Consolidated Commodore

Leitwerk
Die drei Seitenruder
sorgten für besondere
Stabilität.

Luxuskabine
Diese großzügige Kabine
in der ersten Klasse bot
allen Komfort.

Salon

Ruder
Mit diesem Ruder
wurde das Flugzeug
auf dem Wasser
gesteuert.

Kabine
Die Kabinen ließen
sich durch herunter-
geklappte Betten
in Schlafquartiere
umwandeln.

Eine wichtige Funktion
Dieses *Martin-Mars-Flugboot*
wird heute verwendet, um Waldbrände zu bekämpfen. Es fliegt die
Wasserfläche entlang und nimmt
dabei 275 000 Liter Wasser auf.

Ein Zwitter
1925 entwarf Juan de la Cierva den Autogiro, ein Mittelding zwischen Flugzeug und Hubschrauber. Der Autogiro konnte zwar nicht in der Luft stehen bleiben, aber extrem langsam fliegen.

Hubschrauber

Rettung aus Seenot
Der Pilot lässt diese *Bell JetRanger* an Ort und Stelle schweben, während ein Helfer einen verunglückten Segler mit der Winde an Bord hievt. Das Schweben ist ein ziemlich schwieriges Manöver, besonders bei starkem Wind.

Hubschrauber können vorwärts, rückwärts und seitwärts fliegen, in der Luft stehen bleiben und auf kleinsten Flächen landen. Sie haben viele Vorteile im Vergleich zu normalen Flugzeugen. Die erste Idee zu einem solchen Fluggerät hatte schon Leonardo da Vinci (1452–1519). Sein „Hubschrauber" war eine Art Luftschraube. 400 Jahre später flog Paul Cornu als Erster in einem Helikopter. In den 1930er Jahren wurden auch in Deutschland erfolgreiche Hubschrauber mit zwei Hauptrotoren gebaut. Nach dem Zweiten Weltkrieg konstruierte der Amerikaner Igor Sikorsky den heute üblichen Hubschrauber mit einem Hauptrotor und einem Hilfsrotor am Heck. Hubschrauber sind inzwischen ein Teil unseres Lebens geworden. Man verwendet sie für die Überwachung des Verkehrs, den Krankentransport, die Rettung von Schiffbrüchigen, die Verfolgung von Verbrechern und bei der Bergwacht.

Steuerknüppel
Mit dem Steuerknüppel kippt der Pilot den Rotor und wählt dadurch die Flugrichtung.

Blattverstellhebel
Mit diesem Hebel verändert der Pilot den Anstellwinkel der Rotorblätter. Dadurch kann der Hubschrauber steigen oder sinken.

Der große Augenblick
Im Jahr 1907 schwebte der Franzose Paul Cornu 20 Sekunden lang in 30 cm Höhe in der Luft. Seine Maschine brach jedoch bei der harten Landung auseinander.

Seitensteuerpedale
Mit Seitensteuerpedalen am Heckmotor ändert man den Seitenschub.

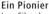

Ein Pionier
Igor Sikorsky am Steuer seiner *VS-300*. Dies war der erste wirklich einsetzbare Hubschrauber.

40

Hauptrotor
Der Hauptrotor besteht aus sich drehenden Tragflächen, die den Auftrieb erzeugen.

Heckrotor
Der Heckrotor verhindert, dass sich der Hubschrauber um die eigene Hochachse dreht.

Rettungswinde
Mit dieser elektrisch betriebenen Winde hievt man Verunglückte an Bord.

WIE EIN HUBSCHRAUBER FLIEGT

Der Hauptrotor erzeugt durch sein Tragflächenprofil den Auftrieb und dient der Steuerung. Er ist mit dem Steuerknüppel und dem Blattverstellhebel verbunden. Mit den Seitensteuerpedalen verändert der Pilot den Anstellwinkel des Heckrotors. Er trägt zur Steuerung bei und verhindert, dass sich der Hubschrauber dreht.

Steigflug
Der Pilot hebt den Blattverstellhebel an. Dadurch vergrößert sich der Anstellwinkel der Rotorblätter, bis der Auftrieb größer ist als das Gewicht des Hubschraubers.

Sinkflug
Der Pilot senkt den Blattverstellhebel. Der Anstellwinkel der Rotorblätter wird flacher, bis der Auftrieb geringer ist als das Gewicht des Hubschraubers.

Vorwärtsflug
Der Pilot schiebt den Steuerknüppel nach vorne. Die Taumelscheibe kippt nach vorne, sodass insgesamt ein Vortrieb zu Stande kommt.

Seitwärtsflug
Der Pilot bewegt den Steuerknüppel zur Seite. Die Taumelscheibe bewegt sich in die entsprechende Richtung, sodass die Rotoren eine seitwärts gerichtete Kraft erzeugen.

Passagierflugzeuge

Propellerflug
Die *Douglas DC-3* (1936) war das erfolgreichste Passagierflugzeug mit Propellerantrieb. Davon wurden über 13 000 Stück
gebaut, rund 1000 fliegen heute noch.

Heute ist es eine Selbstverständlichkeit, für längere Strecken das
Flugzeug zu benutzen. Eine *Boeing 747-400* befördert bis zu 400
Passagiere im Nonstopflug über den Pazifik. Das erste Linienflugzeug
jedoch war ein kleines Flugboot, in dem höchstens zwei Passagiere Platz
fanden. Im Jahr 1914 nahm es den Dienst zwischen St. Petersburg und
Tampa in Florida auf. In den frühen 1920er Jahren baute man die Bomber
aus dem Ersten Weltkrieg zu Passagierflugzeugen um. Doch bald gab es
eigene Verkehrsflugzeuge wie die *Junkers F13* und die *Fokker VIIA-3M*.
In den 1930er Jahren bauten die Amerikaner schnelle, bequeme Passa-
gierflugzeuge ganz aus Metall, etwa die *DC-3*. 1952 nahm der erste
Passagierjet, eine englische *de Havilland Comet*, den Liniendienst auf.
Bald darauf flog die *Boeing 707* überall auf der Welt. Flugreisen wurden
nun billiger und immer beliebter. Im Jahr 1969 brachte die Firma Boeing
den ersten Jumbojet, die *Boeing 747*, auf den Markt. Die *B-747* kann
je nach Ausstattung 355 bis 550 Passagiere befördern. Der neue *Airbus
A 380* hat bis zu 850 Sitze.

Ein Flugzeug mit Armlehnen
Die Kabine dieser *Heracles* sollte genauso
luxuriös und komfortabel sein wie ein
Eisenbahnabteil erster Klasse.

Boeing 777
Dieses schlanke zweimotorige Verkehrsflugzeug kam 1997 auf
den Markt. Es kann bis zu 440 Passagiere aufnehmen, verbraucht
weniger Treibstoff und ist leiser als die *B-747*.

Frontscheibe
Eine wasserabstoßende
Beschichtung verbessert
die Sichtverhältnisse
bei Regen.

Klimaanlage
Die Luft in der Kabine
wird dauernd mit
Frischluft an-
gereichert.

Erste-Klasse-Sitze
Durch Knopfdruck
kann der Passagier
den Sitz verstellen,
die Lehne zurück-
klappen und eine
Fußstütze ausfahren.

Luft

Triebwerke
Die beiden Strahltriebwerke arbeiten sehr
ruhig. Jedes erzeugt einen Schub von
34 473 kg – bei der *Boeing 747* sind es
nur 25 401 kg.

Fahrwerk
Ein eigenes System
überwacht den
Reifendruck und die
Temperatur der
Bremsen.

1919 Junkers F13
Das erste Flugzeug ganz aus Metall. Es hatte 4 Sitze und erreichte 168 km/h.

1925 Fokker VIIA-3M
Dieses achtsitzige Flugzeug hatte als eines der ersten drei Motoren und erreichte 185 km/h.

1933 Boeing 247D
Das erste stromlinienförmige Flugzeug mit einziehbarem Fahrwerk konnte 10 Passagiere bei 320 km/h befördern.

1936 Short Empire
Dieses Flugboot bediente die Strecke England-Australien. Es hatte 24 Sitze und flog 320 km/h.

1934 Lockheed Constellation
Das beste von Kolbenmotoren angetriebene Flugzeug. Es hatte 54 Sitze und erreichte 450 km/h.

1948 Vickers Viscount
Das erste Verkehrsflugzeug mit einer Turboprop-Maschine. Es hatte 47 Sitze und erreichte 506 km/h.

1949 de Havilland Comet 1
Das erste Passagierflugzeug mit Strahltriebwerken. Es hatte 44 Sitze und reiste mit 748 km/h.

1957 Boeing 707-120
Das erfolgreichste Linienflugzeug vor dem Jumbojet. Es beförderte 143 Passagiere mit 906 km/h.

Touristenklasse

Treibstoff-tanks
Die Tanks der B-777 fassen 117 335 Liter Flugbenzin.

Ein Flügelknick
Die B-777 kann auch überfüllte Flugplätze nutzen, weil der Pilot auf dem Boden 7 m von der Flügelspitze einklappen kann.

Frachtraum
Auf langen Flügen kann ein Teil des Frachtraums in einen Aufenthaltsraum mit Liegeplätzen für die Besatzung umgewandelt werden.

Flugeinsätze

Die ersten Piloten waren sehr erfinderisch, wenn es darum ging, die neuen Flugmaschinen zu nutzen. Der Franzose Henri Pequet eröffnete 1911 einen Postdienst in Indien. Zwei Wochen darauf wurden in Frankreich, Italien und den USA ähnliche Unternehmen gegründet. Während des Ersten Weltkrieges baute eine französische Gesellschaft einen riesigen Doppeldecker, der einen mobilen Operationssaal enthielt. Das Flugzeug landete mitten auf den Schlachtfeldern. An Bord waren Chirurgen und Krankenschwestern, die Notoperationen durchführten. Bereits 1924 begann man in den USA damit, Getreidefelder vom Flugzeug aus mit Pflanzenschutzmitteln zu besprühen. Als in Neuguinea Goldminen abgebaut wurden, sorgten Buschpiloten für den Nachschub. Sie landeten mit *Junkers*-Eindeckern auf schmalen Pisten, die in den Regenwald geschlagen wurden. Die Einsatzmöglichkeiten moderner Flugzeuge sind nahezu unbegrenzt. Heute bekämpft man mit Flugzeugen Waldbrände, treibt Herden zusammen oder versorgt Katastrophengebiete aus der Luft.

Ein weiter Blick
Die langsam fliegende *Edgley EA 7 Optica* hat ein gläsernes Cockpit. Sie eignet sich gut für Suchflüge.

Beobachtung aus der Luft
Schnelle *Falcon*-Jets und andere besonders ausgerüstete Flugzeuge überwachen die Küsten Nordamerikas.

Schwebende Hirten
Mit Hubschraubern lassen sich Pferde- und Rinderherden leicht zusammentreiben.

Ein Lastesel
Die riesige *Hercules* ist das bekannteste Frachtflugzeug. Die große Klappe hinten erleichtert das Be- und Entladen. Sie kann während des Fluges geöffnet werden, um Nachschub an Fallschirmen abzuwerfen. Diese Maschine beliefert gerade ein Hungergebiet in Afrika mit Nahrungsmitteln.

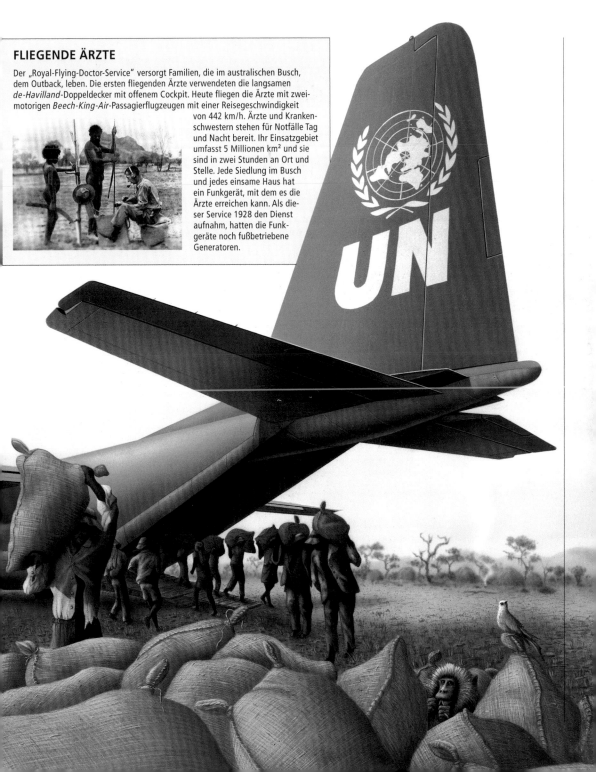

FLIEGENDE ÄRZTE

Der „Royal-Flying-Doctor-Service" versorgt Familien, die im australischen Busch, dem Outback, leben. Die ersten fliegenden Ärzte verwendeten die langsamen *de-Havilland*-Doppeldecker mit offenem Cockpit. Heute fliegen die Ärzte mit zweimotorigen *Beech-King-Air*-Passagierflugzeugen mit einer Reisegeschwindigkeit von 442 km/h. Ärzte und Krankenschwestern stehen für Notfälle Tag und Nacht bereit. Ihr Einsatzgebiet umfasst 5 Millionen km² und sie sind in zwei Stunden an Ort und Stelle. Jede Siedlung im Busch und jedes einsame Haus hat ein Funkgerät, mit dem es die Ärzte erreichen kann. Als dieser Service 1928 den Dienst aufnahm, hatten die Funkgeräte noch fußbetriebene Generatoren.

Cockpit oder Flugdeck

vorderes Fahrwerk

Reibungswärme
Die helle Außenhülle aus Aluminiumlegierung verhinderte, dass die *Concorde* sich während des Fluges zu sehr erwärmte. Sie konnte nicht schneller fliegen als Mach 2,1.

Die Nase war ab 461 km/h gerade und das Flugzeug damit stromlinienförmig.

Die Nase wurde beim Start um 5 Grad nach unten geklappt.

Die Nase wurde bei der Landung um 12,5 Grad nach unten geklappt.

Die Nase der Concorde
Die *Concorde* hatte eine bewegliche Nase, die nach unten geklappt wurde, damit der Pilot bessere Sicht hatte.

Aufklärer
Die *Lockheed SR-71 Blackbird* fliegt mit Mach 3,2 in über 24 000 m Höhe. Sie kann in einer Stunde über 250 000 km² der Erdoberfläche fotografieren.

Überschall-flugzeuge

In den 1960er Jahren entwickelten Frankreich und Großbritannien gemeinsam ein Passagierflugzeug, das mit Überschall fliegen konnte, die *Concorde*. Sie machte im März 1969 ihren Jungfernflug. Die *Tupolew 144*, ein Überschallflugzeug, wurde in den 1960er Jahren in der Sowjetunion entwickelt. Sie war etwas größer als die *Concorde* und wurde zunächst als Postflugzeug zwischen Moskau und Alma Ata eingesetzt. Nach einem Absturz auf einer Luftfahrtschau wurde die *Tupolew 144* aufgegeben. 1976 stellen British Airways und Air France 14 *Concordes* in Dienst, doch das Flugzeug war kein großer Erfolg. Es fasste nur 100 Passagiere, war teuer im Unterhalt und durfte wegen des Lärms in vielen Städten nicht landen. Im Jahr 2000 stürzte eine Concorde ab, und bald darauf durften keine dieser Überschallflugzeuge mehr fliegen.

Windkanal
Neue Flugzeuge testet man im Windkanal. Man simuliert dabei die Strömungsverhältnisse. Dieses Modell ist mit besonderer Farbe bemalt, die beim Flug auftretende Luftströmungen erkennen lässt.

Boeing 747
Mach 0,84

Bell X-1
Mach 1,45

BAC/Sud Aviation Concorde
Mach 2,1

Lockheed SR-71
Mach 3,2

North American X-15
Mach 6,7

NASA Spaceshuttle
Mach 25,0

Form und Geschwindigkeit

Alle oben abgebildeten Flugzeuge sind in diesem Buch erwähnt. Hier werden Formen und Spitzengeschwindigkeiten verglichen.

Flügelform
Die geschwungenen Deltaflügel waren vorzüglich für den Überschallflug geeignet, erzeugten aber auch bei geringerer Geschwindigkeit genügend Auftrieb. Die „Concorde" könnte deshalb auch mit nur 283 km/h landen.

Motoren
Die vier Olympus-Strahltriebwerke von Rolls-Royce erzeugten einen Schub von 68 945 kg.

Elevons
Eine Kombination aus Höhenruder und Querruder, auch Klappenruder genannt

Treibstofftanks
Die „Concorde" verbrauchte viermal so viel Treibstoff wie ein normaler Jet. Für den hohen Kerosinbedarf wurden große Tanks in den Flügelflächen und im Rumpf entwickelt. Nach dem Absturz einer Concorde am 25. 7. 2000 bei Paris wurden alle Maschinen genau überprüft und die Treibstofftanks besser abgesichert.

FLÜGEL VON ÜBER-SCHALLFLUGZEUGEN

Die Ingenieure suchen ständig nach neuen Flügelformen, um die Geschwindigkeiten noch weiter zu erhöhen.

Deltaflügel
Mirage III, 1956

Schwenkflügel
Tupolew Tu-26, 1969

Stummelflügel
F-104 Starfighter, 1954

Nach hinten gepfeilter Flügel
Super Etendard, 1974

Nach vorn gepfeilter Flügel
Grumman X-29A, 1984

47

Kampfflugzeuge

Kriege haben die Entwicklung der Flugzeuge beschleunigt. Zu Beginn des Ersten Weltkrieges erreichten die meisten Flugzeuge eine Höchstgeschwindigkeit von ungefähr 100 km/h und hatten eine Reichweite von 160 km. Die ersten Militärflugzeuge verwendete man nur zur Beobachtung. Doch bald wurden sie auch für den Kampf ausgerüstet. Gegen Ende des Krieges flogen Bomber schon Geschwindigkeiten von 240 km/h und bis zu 3220 km weit. Berühmte Jagdflugzeuge des Zweiten Weltkrieges waren die *Spitfire*, die *Mustang* und die *Messerschmitt 109*, unter den Bombern die *Flying Fortress* („Fliegende Festung") und die *Lancaster*. Düsengetriebene Jagdflugzeuge wurden erst später entwickelt. Heute sind die Militärflugzeuge mit Bordcomputern und Elektronik bestens ausgerüstet. Die meisten fliegen Überschallgeschwindigkeit.

Düsenausgang
Das hintere Ende der Triebwerke ist so gebaut, dass sich die Abgase gut verteilen. Damit ist das Flugzeug von infrarotgelenkten Raketen weniger bedroht.

Luft-Luft-Rakete
Heutige Kampfpiloten müssen den Feind nicht einmal mehr sehen. Sie zerstören andere Flugzeuge mit Raketen, die mithilfe von Infrarot elektronisch ins Ziel gebracht werden.

Nicht zu sehen
Der *F-117 A Stealth Fighter* von Lockheed erscheint auf keinem Radarschirm mehr. Die meisten Flugzeuge haben runde Formen. Hier sind sie flächig und wie ein Diamant facettiert und stark poliert. Damit lenken sie Radarstrahlen ab.

Rechtzeitiger Ausstieg
Der Pilot verlässt mit einem raketenbetriebenen Schleudersitz sein Flugzeug, das gerade explodiert. Augenblicke später öffnet sich ein Fallschirm und bringt ihn sicher auf den Boden.

1915 Deutsche Fokker E I Eindecker
Sie flog 128 km/h und hatte als erstes Flugzeug ein nach vorn schießendes Maschinengewehr.

1917 Französische Spad S. XIII
Den Doppeldecker flogen französische, amerikanische und englische Piloten. Er erreichte 208 km/h.

1917 Englische Handley Page 0/400
Dieser große Bomber konnte 906 kg Gewicht transportieren. Die Maschine flog mit 128 km/h.

1938 Englische Supermarine Spitfire
Während des Zweiten Weltkrieges wurden über 20 000 von diesem Flugzeug gebaut. Es flog mit 576 km/h.

SENKRECHTSTARTER

Diese *McDonnell-Douglas-AV-8B*-
Version des englischen Senkrechtstarters
Harrier wird bei der US-Marine einge-
setzt. Man spricht auch von einem
VTOL-Flugzeug (Vertical Take Off and
Landing), weil es wie ein Hubschrauber
schweben, starten und landen kann.
Beim Vorwärtsflug strömen die Abgase
nach hinten wie bei einem normalen Jet.
Beim Starten und Landen sind die Düsen
aber senkrecht nach unten gerichtet. Der
Harrier braucht voll beladen einen kurzen
Anlauf, damit er in die Luft kommt.

V-förmiger Schwanz
Dieser Schwanz ersetzt die
sonst üblichen senkrechten
und waagrechten Flossen. Das
Leitwerk ist nach hinten ge-
kippt, um feindlichem Radar
keine Angriffsfläche zu bieten.

Bildschirm im Helm
Im Kampf müssen Piloten sich dauernd umsehen
und schnell reagieren. Wichtige Anzeigen werden
ihnen daher auf die Scheibe eines speziellen
Helms projiziert. So muss der Pilot seinen
Blick nicht mehr auf die Anzeigetafeln richten.

Cockpit
Gezackte Ränder
an den Scheiben
lenken feindliches
Radarfeuer ab.

Infrarotsender
Ein Gitter deckt die Infra-
rotsensoren der *F-117A* ab
und lenkt Radarwellen um.

Lenkbomben
Zwei lasergesteuerte
Lenkbomben werden im
Inneren des Rumpfes
mitgeführt.

Düseneinlass
Der Einlass für die an-
gesaugte Luft ist mit
einem Gitter verkleidet.

Facettenartige Röhren
Darin befinden sich
Geschwindigkeits-
und Höhenmesser.

1943 Englische Gloster Meteor
Das erste englische Jagdflugzeug
mit zwei Strahltriebwerken
erreichte eine Spitzengeschwin-
digkeit von 969 km/h.

**1952 Amerikanische Boeing
B-52 Stratofortress**
Dieser Riesenbomber hatte acht Strahltriebwerke und konnte über 20 000 km
weit und 960 km/h schnell fliegen.

**1974 Deutscher, englischer und
italienischer Panavia Tornado**
Dieses von drei Nationen entwickelte
Jagdflugzeug hatte verstellbare Flügel
und erreichte 2333 km/h.

**978 Amerikanische McDonnell
Douglas F/A 18C Hornet**
Dieses Flugzeug wird auch in Kanada,
Australien, Spanien und Kuwait
geflogen. Es erreicht 2124 km/h.

Flugzeugträger

Der erste und wahrscheinlich ungewöhnlichste Flugzeugträger war ein Kohleschiff. Es zog Beobachtungsballons während des amerikanischen Bürgerkrieges hinter sich her. Im Jahr 1910 startete der amerikanische Kunstflugpilot Eugene Ely mit einem *Curtiss*-Doppeldecker von einer Plattform des Kreuzers *Birmingham*. Den ersten echten Flugzeugträger bauten dann die Engländer während des Ersten Weltkrieges. Doch das Flugdeck auf dem Schiff war gefährlich. Die Piloten durften von dort nur starten und mussten bei der Rückkehr ihre Maschinen im Meer landen. Bereits im Zweiten Weltkrieg waren die Flugzeugträger wichtiger geworden als die großen Schlachtschiffe. Große Flugzeugträger können bis zu 100 Jagdflugzeuge transportieren. Moderne atomgetriebene Flugzeugträger sind heute die größten und leistungsstärksten Schiffe in einer Kriegsflotte.

Countdown
Das Flugzeug auf dem Flugzeugträger ist in Startposition. Die Katapult-Mannschaft mit ihren grünen Jacken steht bereit. Der Offizier, der eine gelbe Jacke trägt, gibt gerade das Signal zum Start.

Landeanflug
Die Piloten fliegen 8 km weite Kreise in unterschiedlicher Höhe, während sie auf die Landeerlaubnis warten. Wenn alle bereitstehenden Flugzeuge katapultiert sind, können sie bei freiem Deck landen.

Katapult-Start
Eine Rückhaltevorrichtung am Katapult verhindert, dass das Flugzeug mit laufenden Triebwerken vor dem eigentlichen Start nach vorne rollt.

Ablenkvorrichtung
Stahlwände lenken die Abgase von Deck weg.

Katapultschiene

Ein schwimmender Flugplatz
Dieser Flugzeugträger hat vier Startkatapulte und ein Landedeck. Die Flugbewegungen dirigiert ein Offizier, der so genannte „Air Boss", vom Kontrollturm aus. Der Kapitän steuert den Flugzeugträger von der Schiffsbrücke aus.

Flugabwehrkanone

14 Tomcats

22 Hornets

14 Intruders

4 Prowlers

4 Hawkeyes

6 Vikings

5 Sea Kings

DER FLUGZEUGTRÄGER „AMERICA"

Die *America* kann 70 Flugzeuge aufnehmen, die hier alle abgebildet sind. Während die Flugzeuge starten oder landen, herrscht ein ohrenbetäubender Lärm, deshalb muss jeder an Deck einen Gehörschutz tragen. Die Besatzung arbeitet mit höchster Präzision. Sie katapultieren zwei Flugzeuge gleichzeitig und alle 37 Sekunden kann eines landen. Die Starteinrichtungen werden mit Hochdruck-Heißdampf betrieben. Dabei wird das Flugzeug bis auf 322 km/h beschleunigt. Am schwierigsten ist das Landen. Die Piloten müssen auf ein schwankendes Deck mit einer 227 m langen Landebahn zielen. Landebahnen auf dem Festland sind zwölfmal so lang.

Flugsteuerung
Der Flugkommandant und seine Besatzung steuern alle Flugbewegungen vom Kontrollturm aus.

Schiffsbrücke

Flugdeck-kommando

Radar

Fangtaue

Aufzug
Vier Aufzüge bewegen die Flugzeuge zwischen Flugdeck und darunter liegenden Hangars.

Landesignal-Offizier
Dieser Offizier hilft den Piloten bei der Landung.

Landung
Ein Haken unter dem Leitwerk des Flugzeugs fängt eines der über das Schiff gespannten Taue. Das Flugzeug, das mit 240 km/h landet, kommt nach 100 m zum Stillstand.

Optisches Landesystem
Rote, grüne und gelbe Lichter warnen die Piloten, wenn sie beim Landeanflug zu hoch oder zu niedrig fliegen.

Sicher-heitsnetz

Der englische Flugzeugträger *Invincible* mit hohem Deck

Der amerikanische Flugzeugträger *Nimitz* transportiert 85 Flugzeuge.

Der amerikanische Flugzeugträger *Iwo Jima*

Goddard 1926 (USA)
Erster Start einer
Flüssigkeitsrakete.
Sie flog nur
56 m weit.

**V-2 1942
(Deutschland)**
Erste erfolgreiche militärische Rakete.
Sie erreichte 85 km Höhe.

Sputnik I 1957 (UdSSR)
Erster Satellit in der Erdumlaufbahn. Er hatte
einen Sender dabei.

**Gagarin 1961
(UdSSR)**
Erster Mensch im Weltraum.
Sein Raumschiff hieß Wostok 1.

Hubble-Teleskop 1990 (USA)
Start des Weltraumteleskops
Hubble

Columbia 1981 (USA)
Start des ersten
wieder verwendbaren
Spaceshuttles ins All

Viking 1976 (USA)
Die Sonden Viking I und II
landeten auf dem Mars,
fanden aber kein Leben.

Spirit 2004 (USA)
Mars-Mission,
sensationelle Bilder
werden zur Erde
geschickt.

Armstrong 1969 (USA)
Neil Armstrong
setzte als erster
Mensch einen
Fuß auf den
Mond.

Raumfahrt

Die Chinesen entwickelten im 12. Jahrhundert die ersten
Raketen. Ihre Kenntnisse gelangten schon bald nach Europa,
doch bis ins 20. Jahrhundert hinein wurden Raketen nur
beim Feuerwerk eingesetzt. Im Jahr 1903 schlug der Russe
Konstantin Ziolkowski Flüssigkeitsraketen für Fahrten im
Weltraum vor. Eine erste Rakete dieser Art startete dann 1926 der Amerikaner Robert Goddard. 43 Jahre später wurde das Raumschiff *Apollo 11*
von der größten jemals gebauten Rakete gestartet.
Es flog die Astronauten Neil Armstrong, Edwin
Aldrin und Michael Collins mit ihrem Mondlande-
gefährt *Eagle* auf den Mond. Millionen von Menschen hörten damals Armstrongs Stimme, der „von
einem großen Schritt für die Menschheit" sprach.
Seither sind Astronauten mehr als ein dutzend Mal
auf dem Erdtrabanten gelandet. 1981 umkreiste der
Spaceshuttle *Columbia* 37mal die Erde! 2003 ver-
glühte die Raumfähre bei der Rückkehr zur Erde.

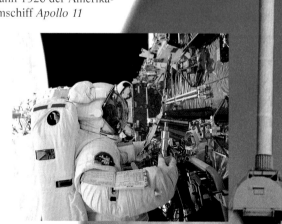

Arbeit im All
Während einer Spaceshuttle-Mission 1994
reparierte die Astronautin Kathryn Thornton
das Weltraumteleskop Hubble.

Wetterbericht

Dieses wolkenlose Bild von Europa und Nordafrika wurde aus mehreren Fotografien zusammengesetzt. Aufgenommen haben sie Wettersatelliten, welche die Erde im All umkreisen.

DER FLUG DES SPACESHUTTLES

Drei Raketenmotoren und zwei zusätzliche Feststoffraketen (Booster) heben den Spaceshuttle mit dem Schub von 140 Jumbojets in eine Erdumlaufbahn. Dort fliegt er mit 28 175 km/h.

Zwei Minuten nach dem Start und in einer Höhe von 45 km werden die Booster abgesprengt und kehren an Fallschirmen zur Erde zurück.

In 112 km Höhe ist der Außentank leer gebrannt und wird abgetrennt. Während der Shuttle in die Umlaufbahn einschwenkt, fällt der Tank ins Meer. Dieses Teil wird als einziges nicht geborgen.

Wiedereintritt

Für die Rückkehr auf die Erde verlangsamt der Shuttle seinen Flug und tritt wieder in die Erdatmosphäre ein. Er gleitet zu seinem Landeplatz und setzt mit 346 km/h auf.

NEUE ENTWICKLUNGEN

Nach einigen gescheiterten Shuttle-Missionen ist jetzt geplant, Spaceshuttles durch neue Raumgleiter zu ersetzen. Mit diesen *Crew Exploration Vehicles* (CEV) sollen ab 2012 Mond-Missionen geflogen werden.

Moderne Flugzeuge

Wie werden die Flugzeuge der Zukunft aussehen? Werden sie 1000 und mehr Passagiere fassen und Platz bieten für Geschäfte und Restaurants? Und wie schnell werden sie wohl fliegen? Das schnellste Passagierflugzeug, die *Concorde*, flog mit Überschallgeschwindigkeit. Um die Mach 2 der *Concorde* zu überbieten, müssten die Flugzeuge in über 18 000 m Höhe fliegen. Doch in diesen Schichten der Atmosphäre würden die Abgase die Ozonschicht stark schädigen oder gar zerstören. Gegen Überschallflugzeuge sprechen auch die hohen Kosten für den Unterhalt. Kipprotor-Flugzeuge sind teils Hubschrauber, teils Flugzeuge. Da sie auf kleinsten Flugplätzen, ja sogar auf Dächern von Gebäuden landen können, eignen sie sich besonders für den Verkehr zwischen Städten.

Neue Überschalljets
Gegen die Entwicklung von neuen Überschallflugzeugen spricht deren hohe Umweltbelastung und der Bedarf extrem langer Landebahnen.

Hubschrauber und Flugzeug
Ein Kipprotor-Flugzeug hebt von einem Landeplatz auf dem Dach eines Gebäudes in Hongkong ab. Es startet und landet wie ein Hubschrauber und fliegt wie ein Flugzeug.

Riesenjet
Der Airbus A380 ist das weltweit größte Passagierflugzeug. Im April 2005 machte es seinen Jungfernflug. Im Jahr 2006 soll es dann regulär im Flugverkehr eingesetzt werden. Das doppelstöckige Flugzeug kann bis zu 850 Passagiere aufnehmen. Es ist leichter, geräuscharmer und soll weniger Treibstoff als bisherige Großraumflugzeuge verbrauchen.

Flugphasen eines Kipprotors
Mit den Rotoren kann das Flugzeug wie ein Hubschrauber starten und landen.

Mit schräg gestellten Kipprotoren bewegt es sich langsam vorwärts.

Die Kipprotoren funktionieren nun wie Propeller und erzeugen einen Vortrieb.

GEMEINSAM ZUM MARS

Die USA und Russland arbeiten zusammen an einem aufregenden Programm, das „Mars Together" heißt.
Seit einigen Jahren untersuchen sie den Planeten Mars mithilfe von unbemannten Sonden, die von Raketen ins Weltall gebracht, den Roten Planeten umkreisen und auf ihm landen. In einem weiteren Programm wollen beide Nationen die Sonne und den Planeten Pluto erforschen.

Von allen Seiten betrachtet

Man kann sich von einem Flugzeug nicht immer eine richtige Vorstellung machen, wenn man es auf dem Boden oder fliegen sieht. Diese Doppelseite zeigt Drei-Seiten-Silhouetten von zwölf der Flugzeuge, die als Hauptbilder in diesem Buch vorkommen. Den Drei-Seiten-Silhouetten kann man die wichtigsten Merkmale des Flugzeugs entnehmen: Form, Zahl, Typ und Lage der Motoren sowie die Flügelspannweite.

1903 Wright Flyer
Doppeldecker, 1 Kolbenmotor
Höchstgeschwindigkeit: um 48 km/h
Spannweite: 12,3 m

Supermarine Spitfire
Eindecker, Jagdflugzeug, 1 Kolbenmotor
Höchstgeschwindigkeit: 656 km/h
Spannweite: 11 m

Boeing 314 Clipper
Flugboot, Eindecker, 4 Kolbenmotoren
Höchstgeschwindigkeit: 309 km/h
Spannweite: 43 m

Graf Zeppelin
Ein Luftschiff, 5 Kolbenmotoren
Höchstgeschwindigkeit: 128 km/h
Länge: 236 m

Supermarine S.5
Wasserflugzeug, Eindecker, 1 Kolbenmotor
Höchstgeschwindigkeit: 451 km/h
Spannweite: 8,4 m

Bell X-1
Experimentalflugzeug, Eindecker, 1 Raketenmotor
Höchstgeschwindigkeit: 1531 km/h = Mach 1,45
Spannweite: 8,5 m

Bell JetRanger
Hubschrauber, 1 Turbinenstrahltriebwerk
Höchstgeschwindigkeit: 214 km/h
Spannweite: 10 m

Airbus A-320
Ein Großraumjet, 2 Turbinenstrahltriebwerke
Höchstgeschwindigkeit: 896 km/h
Spannweite: 34 m

Lockheed C-130 Hercules
Frachtflugzeug, 4 Turboprop-Motoren
Höchstgeschwindigkeit: 618 km/h
Spannweite: 40,4 m

Bac-Aerospatiale Concorde
Überschall-Passagierflugzeug,
4 Turbinenstrahltriebwerke
Höchstgeschwindigkeit: 2226 km/h = Mach 2,1
Spannweite: 25,6 m

Gossamer Condor
Experimentalflugzeug, muskelgetrieben, Leichtbauweise
Höchstgeschwindigkeit: um 16 km/h
Spannweite: 29 m

Lockheed F-117 Nighthawk
Radarunsichtbares Jagdflugzeug,
2 Manteltriebwerke
Höchstgeschwindigkeit: 1034 km/h
Spannweite: 13 m

Register

Bildnachweis

(l=links, M=Mitte, o=oben, r=rechts, u=unten, B=Bildsymbol, R=Rückseite, V=Vorderseite)

Air Portraits, 48or. **AKG Berlin**, 6Ml, 18ul. **Auckland Museum**, 16ur. **Auscape**, 8or (Hans & Judy Beste), 10ul, 11or. **Austral International**, 20ol, 21o, 40M, 62ol, 24or (Rex Feature Ltd), 48ul (R. Richards/Liaison/Gamma), 44ul (P. Schofield/Shooting Star). **Australian Geographic**, 19ul (Courtesy P. Schmith). **Australian Picture Library**, 52o, 40u (ACME/Bettmann), 22ur, 17or (B. Desestres/Agence Vandystadt), 31ul (G. Hall), 28ul (UPI/Bettmann). **Boeing**, 33ol, 54or, 54ul. **Check Six**, 29ur, 31ur (M. Fizer), 32or, 46M, 50or (G. Hall), 42or (R. Neville), 44Mr (J. Towers). **CSIRO**, *Division of Plant Industry*, 12ur. **Budd Davisson**, 28ol. **Chris Elfes**, 16/17M. **Enrico Ferorelli**, 15ul. **Werner Forman Archive**, 14ol, 62ol. **The Granger Collection**, 14ul, 15or, 15ur, 25Mr, 26ol. **Terry Gwynn-Jones**, 7ol, 23ol, 25ur, 26or, 38or, 43ol, 43M, 45ol (Royal Flying Doctor Service). **The Image Bank**, 34M (T. Bieber), 34or (S. Proehl). **Image Select**, 21Mr (Ann Ronan Picture Library). **Imax Corporation**, 13ur. **International Photo Library**, 48l. **Lockheed**, 46ur.

NASA, 52ol, 52Ml, 52ur, 55Mr. **NHPA**, 8l (G. I. Bernard), 12ol, 13or. **North Wind Picture Archives**, 15Mr. **Oxford Scientific Films**, 10ol (S. Osolinski). **The Photo Library, Sydney**, 8Ml (J. Burgess/SPL), 52or (J. Fitzgerald), 53ol (GEOSPACE/SPL), 27Mr, 52or (Hulton-Deutsch), 33or (J. King-Holmes/SPL), 52or, 52M, 52ol, 52/53M (SPL/NASA). **Quadrant**, 43Mr, 40o, 43Ml (Flight). **Robert Harding Picture Library**, 52Mr. **Royal Aeronautical Society**, 19M, 42Mr. **Phil Schofield**, 39ur. **Science & Society Picture Library**, 17ul, 21ur, 31or, 40ol (The Science Museum). **SEXTANT Avionique**, 49Mr. **Smithsonian Institution**, 23r (Photo no.A42363C), 23ur (Photo no.A4943), 25Ml (Photo no.75-12199) 25or (Photo no.89-923), 26M (Photo no.79-763), 28M (Photo no.77-11329), 38ul (Photo no.72-7669). **Topham Picture Source**, 27or. **TRH Pictures**, 36or (US Navy), 52ol (NASA). **Visions**, 27ol (M. Greenberg).

Grafik

Christer Eriksson, 18–19M, 44–45. Alan Ewart, VUul, 32–33. Greg Gillespie, 14–15. Mike Gorman, 11c. Terry Hadler, 2–3u, 5ur, 50–51. Langdon G. Halls, VUor, RUur, 7ur, 23u, 23or, 28–29, 30–31, 46–47, 48–49u, 49or. David Kirshner, VUol, 4ol, 4–5o und uM, 6–7M, 6ol, 7Mr, 8–9, 10–11, 11u, 13M. Mike Lamble, 37r, 27ur, 55o. Alex Lavroff, 5o, 48–49. Kent Leech, 36–37, 37o. Ulrich Lehmann, 43–44. Oliver Rennert, 34–35. John Richards, 5r, 20–21, 24–25. Trevor Ruth, 4ul, 22–23, 12–13. Steve Seymour, 2ol, 40–41, 38–39. Ray Sim, 26–27u. Steve Trevaskis, icons, 6ur, 7ul, 16–17, 19ur. Ross Watton/Garden Studio, 53or, 53Mr. Rod Westblade, 33M, 52o, 56–57.